ASTHME

D1452627

MODUS VIVENDI

IMPORTANT

Ce livre ne vise pas à remplacer les conseils médicaux personnalisés, mais plutôt à les compléter et à aider les patients à mieux comprendre leur problème.

Avant d'entreprendre toute forme de traitement, vous devriez toujours consulter votre médecin.

Il est également important de souligner que la médecine évolue rapidement et que certains des renseignements sur les médicaments et les traitements contenus dans ce livre pourraient rapidement devenir dépassés.

© 2006 Family Doctor Publications, pour l'édition originale.
© 2006, 2014 Les Publications Modus Vivendi inc., pour l'édition française.

L'édition originale de cet ouvrage est parue chez Family Doctor Publications sous le titre *Understanding Asthma*

LES PUBLICATIONS MODUS VIVENDI INC.
55, rue Jean-Talon Ouest, 2e étage
Montréal (Québec) H2R 2W8
CANADA

www.groupemodus.com

Éditeur : Marc Alain
Design de la couverture : Gabrielle Lecomte
Infographie : Transmédia
Traduction : Karen Ricard

ISBN : 978-2-89523-831-7

Dépôt légal – Bibliothèque et Archives nationales du Québec, 2014
Dépôt légal – Bibliothèque et archives Canada, 2014

Nous reconnaissons l'aide financière du gouvernement du Canada par l'entremise du Fonds du livre du Canada pour nos activités d'édition.

Gouvernement du Québec — Programme de crédit d'impôt pour l'édition de livres — Gestion SODEC

Imprimé en Chine

Table des matières

À propos
de l'auteur

 **Jon Ayres** a été professeur
honoraire au département de
médecine respiratoire de l'hôpital
Birmingham Heartlands et il
enseigne maintenant la médecine
environnementale et occupation-
nelle à l'Université d'Aberdeen.
Il s'intéresse tout particulièrement
à l'asthme et aux effets de
la pollution sur le système
pulmonaire.

Qu'est-ce que l'asthme ?

La variabilité de l'asthme

La plupart des gens peuvent identifier l'asthme chez les enfants ou chez les adultes lorsqu'il y a une crise au cours de laquelle la respiration devient rauque et difficile; cette crise commence parfois au cours d'un effort intense, parfois au repos, et elle est parfois légère, parfois plus sévère. Certains pourraient identifier des « déclencheurs » spécifiques : les animaux, certaines émanations ou le pollen, par exemple. Certaines personnes croient que l'asthme est un trouble relié à l'enfance, d'autres pensent qu'il s'agit d'un problème qui peut affecter des personnes de tous âges. Certains considèrent qu'il s'agit d'un embarras occasionnel qui ne requiert qu'un traitement intermittent, alors que d'autres voient l'asthme comme un problème important et persistant qui nécessite un suivi régulier. Ils ne peuvent pas tous avoir raison, n'est-ce pas ?

C'est pourtant possible, d'une certaine façon, et c'est justement à cause de l'étendue des facteurs reliés à l'asthme que nous ne pouvons en donner une définition simple.

Le système respiratoire

Les voies respiratoires (trachée, bronches et bronchioles) et les sacs aériens à l'intérieur des poumons alimentent le corps en oxygène et évacuent le dioxyde de carbone.

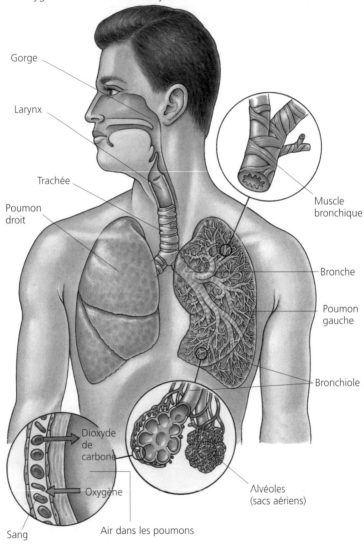

Gorge

Larynx

Trachée

Poumon droit

Muscle bronchique

Bronche

Poumon gauche

Bronchiole

Dioxyde de carbone

Oxygène

Alvéoles (sacs aériens)

Sang

Air dans les poumons

Échange des gaz dans les alvéoles

Comment définir l'asthme ?

Le mot « asthme » est une expression-parapluie qui désigne un état caractérisé par des épisodes d'essoufflement causés par un rétrécissement intermittent des tubes bronchiques – ou voies respiratoires – à l'intérieur du poumon.

Il y a plusieurs facteurs qui contribuent au développement de l'asthme de façon générale et plusieurs facteurs qui peuvent déclencher une crise. Ces facteurs varient de surcroît d'un individu à l'autre.

La meilleure façon de définir l'asthme est d'en parler comme d'une inflammation des voies à l'intérieur du poumon; celles-ci deviennent plus sensibles à des facteurs spécifiques (des « facteurs déclenchants »), qui entraînent un rétrécissement des voies respiratoires, ce qui a pour effet de réduire le flux d'air en circulation. La personne affectée se retrouve ainsi avec le souffle court et/ou rauque. Au sein de la communauté médicale, cette sensibilité des voies respiratoires est appelée « hyperréactivité bronchique ». Dans les cliniques et les salles de chirurgie, les médecins utilisent plutôt l'expression « tubes crispés » !

La respiration normale et l'asthme

Pourquoi cette sensibilité des voies respiratoires entraîne-t-elle les symptômes aisément reconnus par ceux et celles qui sont affectés par l'asthme ? Durant la majeure partie de nos heures d'éveil (de même que durant toutes nos heures de sommeil), nous ne sommes pas conscients du léger mouvement de la poitrine qui permet d'aspirer un air riche en oxygène et d'expirer l'air résiduel, empli de dioxyde de carbone. Cela se fait automatiquement parce que les poumons et la poitrine tendent naturellement à tomber vers l'intérieur. Des voies nerveuses contrôlant les niveaux d'oxygène et de dioxyde de carbone dans le sang font gonfler la poitrine et les poumons simultanément afin de les ouvrir. Cette respiration aisée et non problématique est possible lorsque l'air qui entre et qui sort du poumon passe par le système des tubes bronchiques sans qu'il y ait résistance.

Les problèmes naissent quand les tubes bronchiques se rétrécissent et que l'air circule alors plus difficilement. Lorsqu'il y a un problème d'asthme, le rétrécissement se produit essentiellement dans les plus petits tubes bronchiques, qui débouchent sur les alvéoles (ou sacs aériens). Le plus petit de ces tubes a presque le même diamètre qu'un cheveu humain. Les autres ont environ la taille du point à la fin de cette phrase. C'est ce qui permet à l'oxygène aspiré de pouvoir être diffusé facilement dans les vaisseaux sanguins couvrant toute leur surface et au dioxyde de carbone de pouvoir être évacué tout aussi aisément.

Si l'on prenait les alvéoles d'une paire de poumons humains pour les étendre à l'extérieur, ils couvriraient toute la surface d'un terrain de tennis, ce qui démontre que les poumons sont constitués de façon à pouvoir échanger des gaz facilement.

Lorsque les tubes bronchiques se rétrécissent (pour des raisons que j'expliquerai plus loin), le flux d'air qui peut y circuler diminue rapidement. Afin de contrer cette résistance et pour que l'air aspiré et expiré puisse circuler à la vitesse requise pour que les réserves d'oxygène demeurent constantes, les muscles de la cage thoracique doivent travailler plus fort. Ce qui est aussitôt remarqué par la personne affectée; elle doit travailler plus fort pour pouvoir respirer et elle devient essoufflée. Les musiciens savent que lorsqu'on souffle de l'air dans un tube étroit, un bruit sera émis : un sifflement.

L'asthme n'est pas *une* maladie : il regroupe une multitude de problèmes différents. Tout comme le mot « cancer », le mot « asthme » nous dit *grosso modo* à quel genre de problème nous sommes confrontés, sur quel terrain nous nous trouvons. Mais sous cette appellation générale, vous trouverez tout un éventail d'atteintes, de facteurs déclenchants et de conséquences. Ce qui suit la logique selon laquelle ce qui est bon pour une personne affectée par l'asthme pourrait ne pas convenir à une autre personne.

L'asthme est une maladie de nature très individuelle et son traitement doit être personnalisé à cause de la diversité des facteurs impliqués dans l'état particulier de chaque personne atteinte.

Les mécanismes de la respiration

Pour aspirer de l'air, les muscles de la cage thoracique se contractent, ce qui a pour effet de soulever les côtes et de les pousser vers l'extérieur. Le diaphragme s'étend vers le bas, ce qui contribue à élargir encore plus les parois pulmonaires. La diminution de la pression de l'air dans les poumons fait entrer dans les poumons de l'air provenant de l'extérieur. L'exhalation est l'inverse de ce processus.

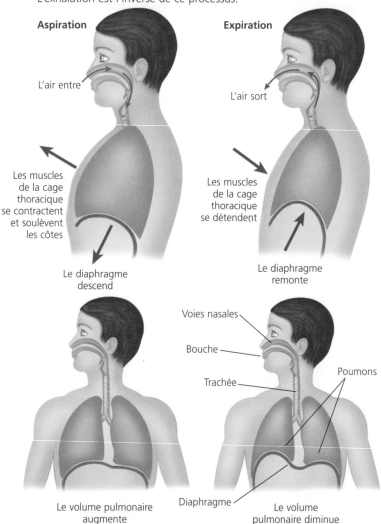

Aspiration

L'air entre

Les muscles de la cage thoracique se contractent et soulèvent les côtes

Le diaphragme descend

Le volume pulmonaire augmente

Expiration

L'air sort

Les muscles de la cage thoracique se détendent

Le diaphragme remonte

Voies nasales

Bouche

Trachée

Poumons

Diaphragme

Le volume pulmonaire diminue

POINTS CLÉS

■ L'asthme n'est pas *une* maladie : comme le cancer, il couvre une multitude de problèmes différents.

■ À cause du nombre de facteurs à l'origine de l'asthme et de la diversité des réactions des voies respiratoires humaines, l'asthme ne peut être défini simplement.

L'asthme est-il fréquent ?

Un problème assez répandu

L'asthme est-il fréquent ? La réponse courte, c'est : oui !
Les études récentes affirment que 20 % des enfants
en âge de fréquenter l'école primaire et 6 à 7 % de la
population en général au Royaume-Uni seraient
affectés par l'asthme. C'est la maladie la plus fréquente
dans les populations occidentales et elle touche plus
de cinq millions de personnes rien qu'en Angleterre et
au pays de Galles. Chez les enfants, on observe que les
garçons seraient plus susceptibles que les filles d'être
affectés, alors que chez les adultes, la maladie serait
légèrement plus fréquente chez les femmes.

Y a-t-il augmentation des cas d'asthme ?

Le nombre de cas a augmenté entre le milieu des
années 1970 et le début des années 1990, toutes
formes d'asthme confondues. Au cours de cette
période, le nombre de patients qui ont consulté leur
médecin généraliste pour une crise d'asthme a

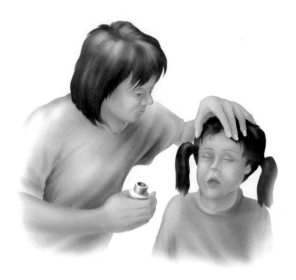

quintuplé; les enfants étaient plus souvent touchés, mais il y a également eu une augmentation des cas chez les adultes. Jusqu'au début des années 1990, on a aussi observé une augmentation du nombre de cas admis à l'hôpital et, encore une fois, il y avait plus d'enfants. Cela tend à confirmer que les adultes sont plus susceptibles de chercher de l'aide médicale pour leurs enfants que pour eux-mêmes, quoique d'autres facteurs ont probablement eu un rôle à jouer. Fort heureusement, la poussée s'est arrêtée au début des années 1990 et on observe actuellement un déclin, même si certains indicateurs demeurent élevés.

Pourquoi l'asthme est-il devenu plus fréquent ?

Il est possible qu'une partie de l'augmentation observée puisse être attribuée au fait que les médecins utilisent maintenant le mot « asthme » dans des cas où

ils auraient autrefois parlé de « bronchite asthmati-
forme », mais cela ne peut toutefois pas expliquer la
majeure partie de l'augmentation. L'exposition à des
substances allergènes dans la maison, des infections
virales et des facteurs environnementaux tels que le
chauffage central, la pollution de l'air, le stress de la vie
moderne – et même les traitements pour l'asthme –
ont tous été mis en cause pour expliquer l'augmentation des cas, mais il y a peu d'éléments pour
corroborer ces dires.

On a suggéré plus récemment que l'augmentation
des cas d'asthme pourrait être liée à une diminution
des infections; en d'autres termes, plus il y a de
germes, moins il y aura de cas d'asthme. On a appelé
cela l'« hypothèse de l'hygiène », l'idée de base étant
que dans le mode de vie qui est le nôtre, où l'hygiène
joue un grand rôle, nos systèmes immunitaires,
puisqu'ils n'ont presque plus besoin de se défendre
contre les infections, réagissent aux allergènes, ce qui
entraîne l'asthme. On a aussi avancé que les nombreux
microbes présents dans nos intestins pourraient aussi
jouer un rôle dans le développement de l'asthme chez
certaines personnes.

La mort par asthme

Heureusement, la mort par asthme est peu fréquente.
Au milieu des années 1960, il y a eu une brève
épidémie de morts causées par l'asthme et certains
croyaient alors que ces décès pouvaient être attribués
à un effet toxique de l'un des inhalateurs vendus à
l'époque. Cela a été contesté au fil des années et
d'autres facteurs pourraient avoir joué un rôle
important; nous ne connaîtrons sans doute jamais
la fin de l'histoire. En fait, la plupart des décès par

asthme sont causés par un manque de traitement des patients et il a été démontré que les deux tiers des cas de décès par asthme auraient pu être évités avec un traitement adéquat.

Entre les années 1970 et les années 1990, il y a eu une légère augmentation des décès par asthme chez les patients de plus de 50 ans, mais cette tendance, encore une fois, s'est résorbée dans les années 1990. Les causes de cette augmentation ne sont pas claires; chez les patients plus âgés, il est souvent difficile de distinguer l'asthme et la bronchite chronique, ce qui pourrait avoir entraîné des changements dans les méthodes de diagnostic.

Les différences géographiques

Il y a sûrement des parties du Royaume-Uni où les consultations à l'hôpital ou dans les cliniques des médecins généralistes sont plus fréquentes, et d'autres régions où il y en a moins. Cependant, les différences sont modestes et elles ne laissent observer aucun schéma géographique bien délimité, contrairement aux cas de bronchite aiguë, qui sont beaucoup plus fréquents au nord et qui diminuent au fur et à mesure qu'on descend vers le sud.

Bien que les variations à l'intérieur du Royaume-Uni soient minimes, il y a de fortes disparités dans la répartition des cas d'asthme dans diverses parties du monde. C'est une maladie presque inconnue chez les Innuits et chez les Noirs africains qui vivent dans des régions rurales; par ailleurs, près de 50 % des habitants des îles Caroline, dans le Pacifique Nord, souffrent d'asthme (les trois quarts des enfants de cette région du monde en sont affectés).

Entre ces deux extrêmes, il y a les populations occidentales, comme celles du Royaume-Uni, de l'Australie, de la Nouvelle-Zélande et d'autres pays européens au sein desquelles la présence de l'asthme est sensiblement la même. Il est intéressant de constater que les parties du monde où l'asthme est moins présent sont celles où l'on combat plus fortement les acariens de la poussière mais où abondent les infections et les infestations parasitaires, un fait qui tendrait à confirmer l'hypothèse de l'hygiène.

POINTS CLÉS

- L'asthme affecte plus de cinq millions de personnes en Angleterre et au pays de Galles.

- Les garçons seraient plus susceptibles que les filles d'être affectés, alors que chez les adultes, la maladie serait légèrement plus fréquente chez les femmes.

Les causes et les facteurs déclenchants de l'asthme

L'asthme est-il héréditaire ?

La plupart des gens savent que l'asthme peut « courir dans les familles » et il y a sans aucun doute une composante héréditaire dans cette maladie, particulièrement dans le cas de l'asthme allergique. Le facteur génétique a une incidence moindre chez les patients qui n'ont pas de problèmes d'allergies.

Une réaction allergique est en fait une « sur-réaction » du système immunitaire, qui répond de façon inappropriée à la présence dans l'environnement d'une substance normalement inoffensive, ce qui entraîne des effets pénibles qui peuvent aussi mettre la vie en danger.

Comment l'asthme se développe-t-il ?

La tendance à développer un problème d'asthme n'a rien d'absolu : on n'hérite pas de l'asthme comme de la couleur des yeux ou du groupe sanguin, et un patient affecté très sévèrement par l'asthme pourrait avoir des enfants qui ne seraient jamais affectés par cette maladie.

Les facteurs environnementaux (les allergènes, l'alimentation, l'exposition à la fumée secondaire, par exemple) jouent donc un rôle prépondérant dans le développement – et l'exacerbation – des symptômes de l'asthme. Il semble toutefois évident que pour que le « grain » de l'asthme puisse germer, il faut que le « sol » soit fertile !

Il y a de plus en plus de preuves montrant que les conditions favorisant le développement de l'asthme peuvent être présentes alors que le fœtus est encore dans l'utérus et, de façon plus critique, durant les deux premières années de vie.

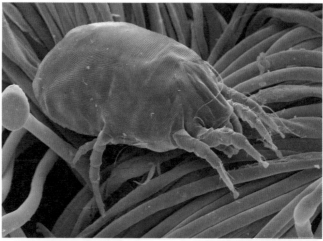

L'acarien de la poussière (ou « mite de poussière domestique »), montré ici sur les fils entrelacés d'une pièce de tissu, est plus petit qu'un point sur cette page. Les acariens de la poussière vivent dans les tapis, les matelas et autres meubles capitonnés. Leur cadavre et leurs excréments peuvent provoquer l'asthme.

Les acariens de la poussière et autres facteurs

Sur cette toile de fond se superposent plusieurs facteurs qui semblent être à l'origine de l'apparition des premiers symptômes de l'asthme. Par exemple, l'asthme qui apparaît à l'âge adulte semble souvent commencer après un rhume ou une infection virale. L'exposition à une substance particulière au travail, même si elle passe souvent inaperçue, est aussi une cause fréquente de l'asthme (voir page 97).

L'un des facteurs importants à l'origine de l'asthme, particulièrement chez les enfants, est un allergène (une substance qui induit une allergie) provenant des acariens de la poussière. Cette petite bestiole, plus petite qu'un point sur cette page, vit dans les tapis, dans les matelas et dans les jouets en peluche. On peut en trouver plus de deux millions dans un seul matelas !

Facteurs contribuant au développement de l'asthme

- Hérédité (facteurs génétiques)
- Tabagisme de la mère durant la grossesse
- Exposition à la fumée secondaire au cours de l'enfance
- Allergènes (plus particulièrement les acariens de la poussière)
- Infections
- Exposition à des substances (ex. : produits chimiques)

Les voies respiratoires du poumon

Les bronches de nos poumons sont constituées de souples anneaux musculaires. Les voies respiratoires sont enduites de mucus qui se colle aux contaminants inhalés et elles sont parsemées de cellules ciliées qui chassent le mucus hors des poumons.

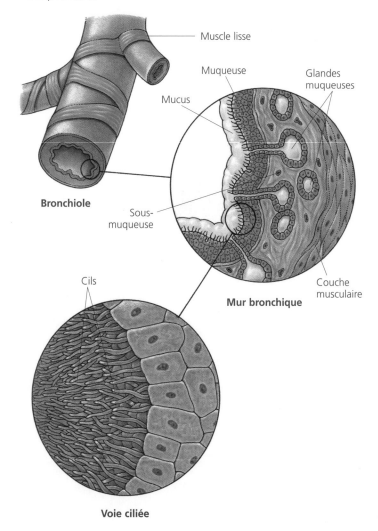

Muscle lisse

Muqueuse

Glandes mucueuses

Mucus

Bronchiole

Sous-muqueuse

Couche musculaire

Mur bronchique

Cils

Voie ciliée

Si une personne qui est susceptible d'en être affectée se trouve exposée à une protéine provenant de la matière fécale des acariens (ou mites) pendant un certain laps de temps, les globules blancs du corps deviennent sensibles et réagissent à cette « substance étrangère ». L'inhalation de cette protéine provoque une réaction dans la membrane muqueuse des tubes bronchiques, résultant en une inflammation des voies respiratoires. Cette inflammation rend la membrane irritable et n'importe quelle exposition subséquente, aux acariens de la poussière ou à n'importe quel autre facteur déclenchant, entraînera un rétrécissement des tubes bronchiques, et les symptômes de l'asthme apparaîtront. D'autres facteurs peuvent aussi contribuer à l'apparition de l'asthme. Le tabagisme de la mère pendant la grossesse et l'exposition massive à la fumée secondaire durant l'enfance peuvent louer, en certains cas, et il y a de plus en plus de preuves tendant à montrer que l'alimentation pourrait elle aussi avoir un rôle à jouer.

Que se passe-t-il lors d'une crise d'asthme ?
Inflammation des voies respiratoires

L'asthme est donc le résultat d'une inflammation qui rend les voies respiratoires plus irritables. Cette inflammation est la façon dont le corps tente de répondre à une série d'assauts; elle est présente dans plusieurs maladies telles l'arthrite, la colite et la dermatite. Les problèmes surviennent lorsque l'inflammation ne se résorbe pas et qu'elle devient un problème à long terme (ou chronique), comme dans le cas de l'asthme.

Les voies respiratoires normales sont recouvertes d'une mince couche protectrice appelée membrane

Comment l'asthme affecte les voies respiratoires

Durant une crise d'asthme, les parois musculaires des voies respiratoires se contractent, ce qui entraîne un rétrécissement de leur diamètre interne. L'augmentation de la production de sécrétions et l'inflammation des membranes intérieures de ces voies accentuent encore le rétrécissement.

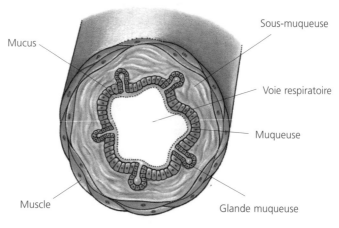

Sous-muqueuse

Mucus

Voie respiratoire

Muqueuse

Muscle

Glande muqueuse

Voie respiratoire normale

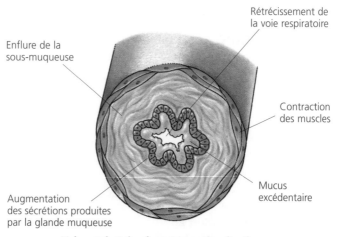

Rétrécissement de la voie respiratoire

Enflure de la sous-muqueuse

Contraction des muscles

Augmentation des sécrétions produites par la glande muqueuse

Mucus excédentaire

Voie respiratoire durant une crise d'asthme

muqueuse ou épithélium. Cette couche est constituée de divers types de cellules ayant différentes fonctions. Certaines peuvent produire du mucus alors que d'autres aident à débarrasser les voies respiratoires du mucus en évacuant les sécrétions des tubes bronchiques grâce au mouvement de minuscules doigts – ou cils – que l'on retrouve à la surface de ces cellules. Ces cils sont parmi les premières structures à être détruites par la fumée de cigarette, ce qui fait augmenter la production de mucus puisque la fumée provoque une inflammation. C'est la raison pour laquelle les fumeurs ont une toux avec des sécrétions : les cils ne fonctionnent plus. Chez certains patients affectés par l'asthme, il y a aussi une toux importante, ce qui n'est guère étonnant puisque nous savons que l'asthme résulte d'un problème d'inflammation et d'irritation.

Sous l'épithélium, une deuxième couche (la sous-muqueuse) recouvre une spirale de muscles qui, lorsque l'asthme est présent, se contractent si un patient inhale une substance déclenchante, comme le pollen.

Il y a trois étapes différentes dans le processus qui entraîne le rétrécissement des voies respiratoires et le souffle court avec sifflement.

- D'abord, la couche mitoyenne de la voie (la sous-muqueuse) devient enflée.

- Deuxièmement, les glandes muqueuses produisent plus de sécrétions (qui doivent être expectorées afin de nettoyer les voies).

- Troisièmement, les muscles lisses se contractent à la suite de la libération de substances provenant des cellules inflammatoires.

Lorsque l'asthme devient persistant, il y a formation d'un tissu cicatriciel dans la sous-muqueuse, ce qui entraîne un certain degré de rétrécissement irréversible des voies. On appelle cela le « remodelage des voies respiratoires » (ou « remodelage bronchique ») et, même si son étendue varie d'une personne à l'autre, il semble que ce soit l'un des traits caractéristiques de l'asthme chronique.

À l'issue de ces trois étapes, il y a un rétrécissement des voies respiratoires. Différentes formes de traitement ont été élaborées afin d'attaquer chacune des trois composantes de ce processus.

Dans l'asthme, les symptômes peuvent apparaître sans raison évidente ou ils peuvent être causés par une exposition à l'un des facteurs déclenchants connus tels le pollen durant les mois d'été. De la même manière, le rétrécissement des voies respiratoires peut être renversé lorsqu'il y a amélioration des symptômes, soit de façon spontanée, soit après l'utilisation d'un médicament visant à soulager ces symptômes. Cette variabilité est caractéristique de l'asthme. Nous pouvons mettre celle-ci à profit aussi bien au moment du diagnostic que lorsque nous planifions des moyens pour contrôler l'asthme.

Les principaux facteurs déclenchants dans l'asthme

Chez une personne susceptible d'être affectée, n'importe lequel des facteurs déclenchants suivants peuvent provoquer une crise d'asthme. Chaque personne identifie assez rapidement quels sont les facteurs qui l'affectent personnellement.

Exercice

Il s'agit d'un déclencheur fréquent chez les enfants et, dans plusieurs cas, il s'agit de la seule chose qui fasse apparaître des symptômes de l'asthme. Le problème tient au fait que le souffle court dû à l'effort est souvent causé par un manque d'entraînement plutôt qu'à l'asthme. L'enfant est considéré comme n'ayant pas assez la forme pour jouer à l'avant sur un terrain de football (ce qui pourrait nous faire hériter d'une nation de gardiens de but asthmatiques !).

Allergènes

Le pollen est le facteur allergène le plus fréquemment identifié, mais les animaux – particulièrement les chats et les chevaux – sont aussi des causes connues à l'origine des crises d'asthme. Ces crises se produisent parce que l'exposition aux allergènes libère les anticorps IgE, ce qui déclence une série de réactions qui rendent l'inflammation des voies respiratoires – et donc des symptômes de l'asthme – encore plus prononcée. L'exposition chronique à certains allergènes peut entraîner des symptômes encore plus persistants. La présence d'animaux dans la maison peut être négligée parce que le patient affirme « pouvoir caresser le chat sans avoir de crise » ; il ne réalise pas que l'exposition prolongée entraîne des symptômes de nature chronique.

Fumée, poussière et odeurs

La fumée de cigarette est un facteur déclenchant pour plusieurs patients, tout comme les lieux poussiéreux (la poussière pouvant être un irritant). Certaines odeurs, tels le parfum ou la lotion après-rasage, sont des facteurs déclenchants pour certains individus, mais il ne s'agit pas là d'une allergie. On présume qu'il s'agit plutôt d'une réaction aux constituants chimiques et le meilleur traitement consiste à éviter, dans la mesure du possible, l'exposition à ces agents, mais il est évident que cela peut avoir des conséquences importantes.

Les rhumes et les virus

Les infections virales (telles que le rhume) sont les plus fréquents déclencheurs de l'asthme tous âges confondus. Les antibiotiques ne sont efficaces que dans le traitement des infections bactériennes, qui sont peu fréquentes dans les cas d'asthme. Les virus sont totalement résistants aux antibiotiques, qui ont peu ou pas du tout leur place dans le contrôle de l'asthme, mais qui sont tout de même constamment prescrits – de façon inappropriée – lorsqu'il y a aggravation de l'asthme.

Les émotions et le stress

Les enfants ont souvent le souffle plus rauque lors des fêtes d'enfants; l'excitation jumelée à l'effort physique rend l'asthme plus évident. Pendant longtemps, l'asthme était vu comme une maladie névrotique, mais il est maintenant clair que les facteurs émotionnels sont des déclencheurs, et non les inducteurs, de l'asthme; ils peuvent augmenter la crispation des voies respiratoires, ce qui peut favoriser les crises. L'excitation, le chagrin et le stress peuvent tous provoquer une crise.

Certains patients ont des crises lors de funérailles ou dans des situations similaires.

Le climat et la pollution

Plusieurs patients asthmatiques savent qu'ils peuvent être affectés par les conditions météorologiques, mais il n'existe pas de schéma uniforme. Certains préfèrent le froid au temps chaud; d'autres préfèrent le temps sec et chaud. C'est vous, le patient ou la patiente, qui le savez mieux que personne, ainsi vous pourrez adapter éventuellement votre comportement et votre traitement à vos besoins.

Les alertes environnementales (augmentation de la pollution) peuvent exacerber les symptômes de l'asthme – particulièrement chez les patients plus sévèrement affectés –, l'ozone étant à l'origine de ces épisodes durant l'été, alors que, durant l'hiver, ce sont plutôt les particules qui sont en cause.

Il n'y a cependant rien qui prouve directement que l'exposition à la pollution de l'air aux niveaux actuels pourrait faire en sorte qu'une personne non atteinte devienne asthmatique.

Air froid, aliments et facteurs déclenchants liés aux activités

Tous ces facteurs peuvent déclencher une crise d'asthme chez les personnes sensibles.

Histoires de cas représentatives
Histoire de cas 1 : Asthme infantile

John a sept ans et sa mère, qui avait la fièvre des foins quand elle était plus jeune, a remarqué l'apparition d'une toux lorsqu'il courait dans le jardin. Elle l'a emmené chez leur médecin de famille, qui a prescrit des antibiotiques à trois reprises, sans qu'il y ait toutefois de bénéfices évidents.

Les symptômes sont devenus plus persistants et c'est seulement lorsque John a commencé à avoir une respiration sifflante à l'effort au cours d'un jeu à l'école que la lumière s'est faite et un diagnostic d'asthme a alors été posé. On a prescrit à John un bronchodilatateur en inhalation qu'il devait utiliser lorsqu'il éprouvait des symptômes. Il va bien depuis ce temps et il est capable de jouer sans se sentir essoufflé.

Histoire de cas 2 :
Allergie aux poils d'animaux

Caroline, une femme de 27 ans atteinte d'asthme depuis longtemps, a été dirigée vers un spécialiste en médecine thoracique parce que ses symptômes s'étaient aggravés au cours des deux derniers mois. On savait qu'il y avait plusieurs facteurs qui déclenchaient ses crises d'asthme, dont le pollen (herbe et arbres) et le poil de divers animaux.

Pour compléter son évaluation, le médecin devait la visiter à la maison; il a été accueilli par 14 chats qu'elle élevait, a-t-on découvert, dans le but de les présenter à des concours, un fait qu'ignorait son médecin traitant.

Caroline a eu une réaction épidermique extrêmement forte lors du test d'allergie aux poils de chats, mais elle a nié avec véhémence que le fait de caresser les chats pouvait empirer son état. Il était clair que les chats étaient une des causes majeures de son asthme persistant, puisque cela entraînait une exposition constante à un allergène et que cela provoquait des

épisodes asthmatiques récurrents et quasi continuels. Elle refusait de se départir de ses chats, qu'elle considérait comme ses meilleurs amis, et on a dû trouver un équilibre entre les problèmes d'asthme causés par l'exposition à un allergène et les bénéfices qu'elle pouvait retirer en gardant ses compagnons.

Histoire de cas 3 : La pollution de l'air

David, un homme dans la vingtaine avec un asthme sévère, a eu de la difficulté à contrôler son asthme durant l'automne de 1992. Il avait augmenté ses doses de médicament en inhalation et son médecin lui avait prescrit deux traitements de comprimés à base de stéroïdes. À l'approche de Noël, son asthme semblait vouloir se stabiliser. Une alerte à la pollution a alors frappé Birmingham, un épisode qui a duré cinq jours et qui était à son apogée la veille de Noël. L'asthme de David s'était alors beaucoup aggravé et malgré des doses supplémentaires de corticostéroïdes et une utilisation plus fréquente de son nébuliseur, il a dû être

Les épisodes de pollution de l'air peuvent exacerber l'asthme.

admis à l'hôpital… Une façon bien ennuyeuse de passer Noël !

Histoire de cas 4 : Sensibilité au pollen

En juin 1994, un terrible orage a frappé le sud de la Grande-Bretagne, se déplaçant de Southampton jusqu'à Londres pour continuer ensuite vers le nord via East Anglia. Des centaines de patients se sont alors présentés aux urgences pour des crises d'asthme. Plusieurs de ces patients ignoraient qu'ils étaient asthmatiques, mais la plupart d'entre eux ont toutefois admis avoir une respiration sifflante en période de fièvre des foins (c'est-à-dire qu'ils étaient asthmatiques mais ne s'en étaient jamais rendu compte).

Nous savons maintenant que l'association du front froid lié aux orages et de la hausse de l'humidité avant la tempête (ce qui provoque la rupture des grains de pollen et la libération dans l'air de grandes quantités de cet allergène) est à l'origine des graves crises d'asthme allergique qu'on observe en ces circonstances.

Histoire de cas 5 : Sensibilité au parfum

Georgina a travaillé pendant 22 ans au rayon des cosmétiques d'un grand magasin. Un certain automne, après avoir contracté une infection virale, elle a développé un asthme, qui a initialement pu être traité aisément par les moyens habituels.

Cependant, au bout d'un an, elle avait développé des symptômes plus graves (la toux, plus particulière-ment) et les parfums semblaient être le facteur déclen-chant. Elle a cessé de porter elle-même du parfum mais, après une brève amélioration initiale, il est devenu évident que ses symptômes étaient liés au fait qu'elle était constamment exposée aux parfums vendus à son magasin. Elle a éventuellement quitté son emploi (elle avait alors 58 ans) et ses symptômes se sont considérablement améliorés.

Facteurs déclenchants agissant de façon simultanée

Dans plusieurs cas, il y aura interaction entre deux ou plusieurs facteurs déclenchants, et diverses associations de facteurs pourront affecter différentes personnes. L'asthme est une maladie qui requiert une gestion très personnalisée; ce qui est bon pour l'un n'est pas nécessairement bon pour l'autre, et l'on doit préparer à l'avance des plans d'évitement (aux allergènes) et des plans de traitement pour chaque individu.

POINTS CLÉS

■ L'asthme peut « courir dans les familles »,
mais un patient avec un asthme très
sévère pourrait avoir des enfants qui ne
seraient jamais affectés par cette maladie.

■ Le facteur déclenchant le plus fréquent,
particulièrement chez les enfants, est
l'acarien de la poussière (ou « mite de
poussière domestique »).

■ Les symptômes peuvent apparaître sans
raison apparente ou peuvent être le fait
d'une exposition à un ou plusieurs
facteurs déclenchants tels que l'exercice,
une infection virale, la fumée et la
poussière, le stress et la tristesse, le climat
et la pollution.

■ Diverses associations de facteurs déclenchants peuvent jouer un rôle important
chez des patients différents.

Symptômes et diagnostic

L'asthme est souvent difficile à diagnostiquer puisque les symptômes sont aisément confondus avec d'autres problèmes respiratoires. Ce n'est qu'après avoir consulté l'historique médical et après avoir effectué des tests qu'on peut établir un diagnostic ferme.

Quels sont les symptômes ?

Quatre principaux symptômes indiquent la présence de l'asthme et l'on peut en observer un seul ou plusieurs en même temps :

- respiration sifflante;
- souffle court;
- toux;
- sensation d'oppression thoracique.

Le sifflement et le souffle court sont ceux que l'on reconnaît le plus aisément et ils apparaissent de façon intermittente, soit en réponse à un facteur déclenchant connu, soit sans raison apparente. Cependant, le souffle court est aussi observé fréquemment sans être nécessairement accompagné d'une respiration sifflante.

La toux est l'un des symptômes qui n'est pas souvent reconnu comme étant lié à l'asthme; il peut s'agir d'une toux sèche ou d'une toux grasse,

Les quatre principaux symptômes de l'asthme

Le sifflement et le souffle court, les deux symptômes les plus fréquents, peuvent apparaître ensemble ou séparément. La toux persistante est moins souvent identifiée comme un symptôme de l'asthme et l'oppression thoracique peut n'être ressentie que lors d'un effort physique.

- **Respiration sifflante (ou sifflement)**
  La respiration sifflante, jumelée ou non au souffle court, apparaît soit en réponse à un déclencheur connu, soit sans raison apparente.

- **Souffle court (ou essoufflement)**
  Il est souvent associé au sifflement et à la toux, mais il peut aussi apparaître de façon isolée.

- **Toux**
  Une toux sèche ou une toux avec sécrétions peut indiquer la présence de l'asthme.

- **Sensation d'oppression thoracique**
  Même s'il s'agit d'un symptôme fréquent de l'asthme, la sensation d'oppression thoracique peut être confondue avec un problème cardio-vasculaire chez les personnes plus âgées.

Si l'on se réveille la nuit à cause des symptômes de l'asthme, c'est que la maladie n'est pas bien contrôlée.

qui apparaît généralement la nuit ou lors d'un exercice physique. Le fait de ne pas identifier la toux comme l'un des symptômes de l'asthme incite souvent à poser un diagnostic de bronchite. Les crises de bronchite sont habituellement traitées avec des antibiotiques, un traitement très inadéquat pour l'asthme. S'il y a eu plus d'un épisode de toux persistante – avec ou sans sifflement ou souffle court –, le patient et le médecin devraient chercher à savoir s'il n'y aurait pas un problème d'asthme sous-jacent.

Le quatrième symptôme principal est la sensation d'oppression thoracique. Ce symptôme apparaît souvent au cours d'un effort physique. Lorsqu'on l'observe chez un patient plus âgé, il arrive qu'on diagnostique une angine de poitrine et il devient alors très difficile pour le médecin de résoudre le problème.

Même si les symptômes de l'asthme apparaissent souvent sans raison, il arrive fréquemment qu'ils réveillent les patients au cours de la nuit, ce qui pose évidemment problème le lendemain matin. Le fait de se réveiller la nuit à cause des symptômes de l'asthme indique que le traitement n'est pas adéquat.

Comment l'asthme est-il diagnostiqué ?

Le problème avec ces symptômes, c'est qu'ils sont aussi caractéristiques d'autres maladies pulmonaires ou cardiaques. Il faut donc établir un historique détaillé des symptômes présents, de ce qui les déclenche, de leur durée, de leur gravité, et il sera également essentiel, pour que le médecin puisse poser son diagnostic, de déterminer s'il y a des schémas aisément reconnaissables.

Même si l'auscultation de la poitrine fait partie intégrante de presque tous les examens médicaux,

Maladies dont les symptômes recoupent ceux de l'asthme

Les symptômes de l'asthme apparaissent aussi en présence d'autres troubles respiratoires ou de certaines maladies cardiovasculaires.

Diagnostic	Siffle-ment	Souffle court	Toux	Oppression thoracique
Asthme	●●●	●●●●	●●●	●●●
Bronchite chronique	●●●	●●●	●●●	●●
Emphysème	●●	●●●	●	●●●
Bronchiectasie	●●	●●	●●●●	●●
Angine	●	●●	●	●●●●
Défaillance cardiaque	●●	●●●●	●●	●●

●, Le symptôme est habituellement absent.
●●, Le symptôme peut être présent.
●●●, Le symptôme est souvent observé.
●●●●, Le symptôme est presque toujours observé.

il arrive souvent que cela ne soit pas très utile au médecin dans les cas d'asthme. L'absence de sifflement ne signifie PAS que l'asthme n'est pas présent.

À l'inverse, le sifflement ne suffit pas pour poser un diagnostic d'asthme, ce qui signifie donc que ce diagnostic est souvent difficile à établir.

Tests respiratoires

Même si un diagnostic d'asthme peut être posé simplement à partir de l'histoire de cas, certains tests très simples sont souvent utilisés pour les patients plus

Le débitmètre de pointe

âgés, chez qui les problèmes cardiovasculaires sont fréquents. Un électrocardiogramme (ECG ou « tracé du cœur ») peut être utile, mais on recourt surtout aux tests respiratoires pour diagnostiquer l'asthme.

Deux principaux types de tests respiratoires sont utilisés pour diagnostiquer l'asthme : la mesure du débit expiratoire de pointe (DEP) et la spirométrie. Tous deux servent à mesurer l'étroitesse des voies respiratoires : plus les voies sont étroites, plus l'air circule lentement dans les tubes et plus les valeurs sont basses.

Le débitmètre de pointe (ou « mesure du débit de pointe »)

Le débitmètre de pointe est un petit appareil robuste et peu onéreux. Il permet de donner une idée de l'étroitesse des tubes aériens en mesurant la vitesse maximale du souffle lors d'une expiration. C'est la méthode qu'utilisent la plupart des médecins

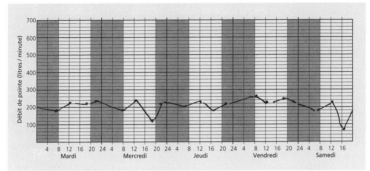

Courbe du débit de pointe montrant des variations intermittentes chez un enfant

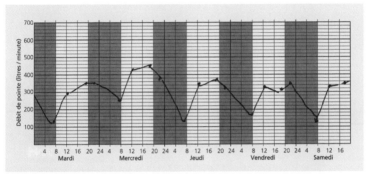

Courbe du débit de pointe montrant le schéma fréquent de la « plongée du matin » chez un adulte

généralistes et ils ne font qu'une seule lecture pendant la consultation.

On pourrait cependant vous demander d'en utiliser un afin de mesurer votre débit de pointe (DEP) deux, trois ou quatre fois par jour afin d'étudier les variations du débit au cours d'une même journée. Chez une personne normale, il y a très peu de variation du débit de pointe au fil des jours ou des semaines, mais chez le patient asthmatique, on observe des variations constantes ou intermittentes.

35

Comment utiliser le débitmètre de pointe

Votre médecin ou une infirmière vous montrera comment utiliser votre débitmètre correctement. Les indications qui suivent ne constituent qu'un rappel.

1 Tenez-vous debout.

2 Assurez-vous que le curseur est à zéro.

3 Inspirez profondément et placez le débitmètre de pointe dans votre bouche (en le tenant horizontalement) puis fermez les lèvres.

4 Soufflez le plus fort et le plus rapidement possible.

5 Notez la valeur indiquée par le curseur.

6 Remettez le curseur à zéro.

7 Recommencez deux fois pour obtenir trois résultats.

8 Notez le meilleur des trois résultats (c.-à-d. la valeur la plus élevée).

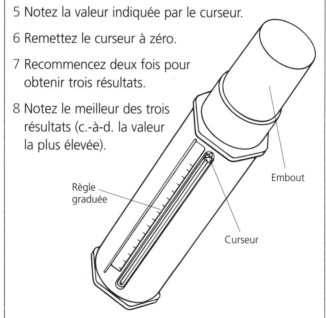

Règle graduée

Embout

Curseur

En cas de doute, demandez toujours l'avis d'un professionnel de la santé.

Reproduit avec l'autorisation du National Respiratory Training Centre.

La « plongée du matin » est un schéma fréquent, les valeurs étant plus basses au réveil. La chute du débit de pointe est parfois intermittente, ce qui indique une exposition à un déclencheur reconnu tel le poil de chat. La mesure du débit de pointe est particulièrement utile quand les patients ne souffrent de leurs symptômes que de façon intermittente.

L'intégration dans le plan d'action de la mesure quotidienne du débit de pointe peut être extrêmement utile puisque cette mesure agit comme un « système d'alerte » permettant d'anticiper une aggravation de l'asthme.

La spirométrie

Même si un nombre croissant de médecins généralistes recourent à la spirométrie, cet outil est surtout utilisé dans les cliniques thoraciques et dans les hôpitaux. Le spiromètre mesure non seulement la vitesse à laquelle l'air peut être expiré, mais également la quantité d'air qui est expiré à chaque cycle respiratoire. La spirométrie procure plus d'informations que la mesure du débit de pointe et on peut maintenant se procurer des petits spiromètres portables qui peuvent être utilisés à la maison.

Les tests de « réversibilité »

Ces tests respiratoires sont parfois effectués avant et après l'inhalation d'un agent bronchodilatateur qui a pour effet d'ouvrir les tubes. Si les résultats augmentent de 15 % ou plus après l'inhalation de l'agent bronchodilatateur, le rétrécissement de la voie respiratoire est considéré comme réversible, ce qui confirme le diagnostic d'asthme. Même les patients asthmatiques ne montrent pas toujours une réversibilité à chaque test, mais cela demeure néanmoins un outil utile pour établir le diagnostic de patients que l'on croit affectés par l'asthme.

Autres tests respiratoires

Si votre diagnostic est difficile à établir, on pourrait vous référer à un laboratoire de fonction pulmonaire; des tests plus complexes peuvent y être effectués, généralement à la demande d'un médecin spécialiste.

POINTS CLÉS

■ Les quatre principaux symptômes de l'asthme sont la respiration sifflante, le souffle court, la toux et l'oppression thoracique.

■ Se réveiller la nuit à cause des symptômes de l'asthme signifie que le traitement ou plan d'action n'est pas adéquat.

■ Plus de deux épisodes de toux persistante pourraient indiquer la présence de l'asthme.

■ Les tests respiratoires sont souvent utilisés afin de confirmer le diagnostic.

Comment prévenir les crises et s'aider soi-même

Même si un diagnostic d'asthme semble suggérer l'utilisation inévitable de médicaments afin de contrôler la maladie, il y a plusieurs moyens qui peuvent vous aider, vous et votre famille, à diminuer les symptômes. Certains changements environnementaux peuvent également être effectués (notons toutefois que leur efficacité a été mise en doute).

Éviter les allergènes

Malgré certaines controverses sur le fait que le contrôle de l'exposition aux allergènes dans la maison puisse réellement améliorer l'état d'un patient asthmatique, on considère actuellement que certaines mesures de contrôle valent la peine d'être envisagées par certains patients. Ces mesures peuvent toutefois coûter très cher. L'utilisation d'une literie anti-acariens est efficace, mais très onéreuse – à moins d'utiliser simplement une barrière spéciale en polythène pour couvrir complètement le matelas et les oreillers. On se retrouve alors

avec un lit qui n'est plus que sueur et froissements ! Les pulvérisateurs destinés à tuer les mites ne suffisent pas dans le contrôle de l'asthme. En théorie, les tapis devraient être retirés et certains recommandent aussi de remplacer les rideaux par des stores vénitiens. Les jouets en peluche devraient être mis au congélateur 12 heures par semaine afin de tuer les mites. Ces mesures requièrent temps et argent; la thérapie par inhalation est une méthode beaucoup plus simple et accessible pour contrôler les symptômes de la plupart des patients.

Animaux

Faut-il se départir des animaux domestiques ? C'est un sujet controversé. Lorsqu'une allergie aux chats, aux chiens ou aux lapins devient évidente, il faut trouver un équilibre : on peut contrôler l'asthme avec des inhalateurs, mais il faut aussi tenir compte de la tristesse que pourrait engendrer le bannissement des animaux. Néanmoins, l'exposition prolongée aux animaux – y compris ceux qui ne sont pas considérés comme étant à l'origine des crises – peut aggraver l'asthme de façon chronique puisqu'un patient sensible se trouve ainsi exposé à de hauts niveaux d'allergènes. Chez une personne avec un asthme plus sévère et pour qui le contrôle est plus difficile, il faut parfois insister pour que les animaux soient bannis, et ce même si les résultats ne sont pas toujours aussi bénéfiques que nous pourrions l'espérer.

Je crois qu'il est très important de tenir compte des souhaits du patient. Certains préfèrent se séparer d'un animal plutôt que d'avoir à utiliser un inhalateur; d'autres préfèrent endurer les symptômes de l'asthme plutôt que de perdre leur meilleur ami.

Nous ne devrions insister sur ce point que lorsque les croyances et les désirs du patient constituent un risque pour sa personne.

Le chauffage central

Il n'existe aucune preuve, ni dans un sens ni dans l'autre, montrant que les diverses formes de chauffage central pourraient être bonnes ou mauvaises pour les

patients. Certains patients asthmatiques ont rapporté que le chauffage central au gaz rendrait l'air trop sec, mais il est peu probable que cela soit le problème principal. Par ailleurs, on a de bonnes raisons de croire que l'air chaud et vicié peut poser problème, particulièrement chez les patients allergiques aux acariens de la poussière.

Malheureusement, le remplacement de tels systèmes est très onéreux et rien, de surcroît, ne garantit que le patient se portera mieux après le changement. Je conseille cependant à mes patients qui rénovent leur maison de ne pas opter pour ces systèmes.

La température de la chambre à coucher

Un médecin célèbre du XVIIe siècle, Sir John Floyer, qui était lui-même asthmatique, croyait que si un patient était éveillé par son asthme pendant la nuit, c'était que « le lit était trop chaud » ! On a aussi dit que le fait de dormir en laissant la fenêtre de la chambre ouverte ou, à tout le moins, en s'assurant que l'air soit frais pendant la nuit pouvait aider les personnes asthmatiques. En vérité, il n'y a pas de réponse claire. Certains préfèrent l'air frais de la nuit et d'autres prétendent que cela accentue leur sifflement, particulièrement lorsqu'ils doivent se lever pendant la nuit pour d'autres raisons. Encore une fois, il n'en tient qu'à vous d'adapter votre environnement en fonction de vos besoins.

Les allergies alimentaires

Une petite partie des patients asthmatiques, particulièrement les enfants, ont des sensibilités alimentaires. Dans ce cas aussi, il faut trouver un équilibre entre les désirs du patient et la nécessité de contrôler l'asthme.

Les véritables allergies alimentaires ne sont pas si fréquentes, mais elles le sont tout de même plus que ne le croient plusieurs médecins. Le diagnostic, qui requiert des tests élaborés, est souvent difficile à établir. Les tests cutanés peuvent être trompeurs et l'on ne devrait pas s'y fier pour diagnostiquer (ou exclure) une allergie alimentaire. Pour un nombre considérable de personnes, l'identification d'un ou de plusieurs aliments susceptibles d'aggraver leur asthme peut avoir un effet dramatique.

Il est assez facile de faire un historique des épisodes où, par exemple, un sifflement est apparu quelques minutes après avoir mangé des arachides; en ce cas, le meilleur traitement consiste à éviter cet aliment. Par ailleurs, la sensibilité aux produits laitiers ou au blé est plus difficile à reconnaître puisque les effets durent plus longtemps, sans être aussi dramatiques.

Histoire de cas 1 : Allergie aux arachides

Nick souffrait d'asthme depuis l'enfance et il savait depuis toujours que les arachides aggravaient son état et pouvaient provoquer des crises très sévères. Il avait réussi à contourner ce problème en évitant scrupuleusement tous les aliments contenant des arachides – une tâche parfois difficile ! Au cours de son adolescence, son asthme s'est amélioré considérablement, mais il a continué à éviter les arachides. Dans les rares occasions où il avalait une bouchée d'un aliment contenant des arachides, il sentait immédiatement un picotement dans sa bouche et il recrachait l'aliment. Cela suffisait généralement à prévenir une crise d'asthme.

Un jour, alors qu'il mangeait un repas chez sa nouvelle copine, il a soudainement réalisé qu'il venait d'avaler une pleine bouchée d'un aliment contenant des arachides. À peine quelques minutes plus tard, sa langue et ses lèvres étaient enflées et une grave crise d'asthme aiguë avait commencé.

En arrivant à l'hôpital, il était bleu et inconscient. Heureusement, on l'y avait emmené très rapidement, mais on a dû le garder sous ventilation mécanique pendant quelque temps avant qu'il prenne du mieux. Sa copine et la mère de celle-ci étaient mortifiées. Elles n'étaient pas au courant de son allergie aux arachides (l'une des allergies alimentaires dont les patients guérissent rarement, voire jamais). On voit donc le danger que peuvent constituer les allergies alimentaires.

Si vous croyez être sensible à certains aliments, vous devriez consulter un médecin spécialisé en ce domaine.

Histoire de cas 2 : Allergie au blé

Caroline avait 35 ans et elle souffrait d'asthme depuis son adolescence. Au début, sa maladie avait affecté sa qualité de vie, mais elle avait réussi à faire carrière et elle réussissait généralement à garder son asthme sous contrôle. Depuis deux ou trois ans, toutefois, ses symptômes s'aggravaient et elle a constaté qu'elle avait plus fréquemment besoin de corticostéroïdes. Inquiète, elle a demandé à être référée à l'hôpital où son traitement médicamenteux a été augmenté au maximum, sans succès. Elle a ensuite été admise à l'hôpital afin de suivre un régime d'exclusion (de certains aliments), qui a révélé qu'elle pouvait avoir une sensibilité aux produits à base de blé. Après une période d'abstention, on lui a fait ingérer des capsules de blé, et moins d'une semaine plus tard, son asthme s'était considérablement aggravé, ce qui a confirmé les soupçons du médecin. Depuis qu'elle suit un régime d'exclusion du blé, elle peut contrôler son asthme. Même si elle a besoin d'inhalateurs à doses modérées, elle a désormais rarement besoin de corticostéroïdes par voie orale.

Si vous avez un problème de ce genre, la seule solution est d'exclure l'aliment incriminé. Dans le cas des aliments qui sont consommés plus rarement (les coquillages, par exemple), l'abstention est plus facile. Cependant, si vous êtes sensibles aux produits laitiers ou aux dérivés du blé – deux des aliments problématiques les plus fréquemment identifiés –, le régime peut devenir ennuyeux et entraver votre vie sociale, particulièrement si vos symptômes d'asthme sont plus modestes. Certains patients préfèrent suivre un régime strict plutôt que de recourir aux médicaments. Il est très rare que les symptômes de l'asthme puissent être contrôlés par le recours à une diète spéciale. Celle-ci devrait donc être vue comme un complément à un traitement médical adéquat.

La fumée de cigarette

La fumée de cigarette est nuisible pour les asthmatiques. Malheureusement, 15 à 20 % des patients asthmatiques fument régulièrement. Ces patients sont plus susceptibles d'être admis à l'hôpital pour un asthme sévère et ils risquent aussi de subir un rétrécissement irréversible des voies respiratoires. Si vous fumez, vous devez tenter d'arrêter par tous les moyens – cela comprend l'aide de votre famille et de vos amis. « Juste une seule » vous *fera* du tort et ceux qui vous offrent une cigarette sont loin de poser un geste amical. Des organismes peuvent vous aider à renoncer au tabac, et vous pouvez également recourir aux substituts nicotiniques ou au Zyban (bupropion), qui peut aider à cesser de fumer.

La fumée secondaire (ou passive) indispose considérablement les enfants asthmatiques. Les enfants de parents fumeurs sont plus susceptibles d'avoir des épisodes de respiration sifflante et de manquer l'école que les enfants de parents non-fumeurs. Cela est encore plus vrai lorsque les deux parents fument, mais le tabagisme de la mère semble avoir une plus grande influence encore que celui du père puisque les enfants passent habituellement plus de temps avec leur mère.

Fumer pendant la grossesse augmente le risque d'avoir un enfant asthmatique à la naissance. Et cela est vrai même si l'on tient compte des tous les autres facteurs (telle l'histoire familiale).

Les jeux et l'école

L'asthme induit par l'exercice est fréquent chez les enfants et peut devenir problématique : certains

La fumée de cigarette est mauvaise pour l'asthme.

professeurs diront que l'enfant « ne fait pas assez d'efforts » ou qu'il veut être exempté de certains jeux et ses camarades pourraient le taquiner cruellement. La préparation à l'effort peut aider. Il est toujours judicieux pour un enfant asthmatique de s'administrer une dose avec son inhalateur 15 minutes avant de participer à des jeux ou à des exercices. S'il prend cette dose juste au moment de se lancer dans la partie, les symptômes apparaîtront avant que le médicament en inhalation ait pu agir.

Chez certains enfants, après le premier épisode de respiration sifflante consécutif à un exercice, il arrive souvent qu'il y ait ensuite une longue période au cours de laquelle ils peuvent courir beaucoup et rapidement sans problème; cela peut durer jusqu'à la fin du semestre. On appelle cela la « période réfractaire » et, malheureusement, elle a parfois pour effet de renforcer l'opinion d'un professeur sceptique ou des autres enfants, qui croient que l'enfant asthmatique voulait tirer au flanc.

Voilà qui soulève la question de l'asthme à l'école. Plusieurs professeurs sont mal informés sur l'asthme. Il faut toutefois mentionner que si on leur donne l'occasion d'en apprendre plus sur cette maladie, ils se montrent le plus souvent motivés. Si votre enfant est asthmatique, vous devriez dire à la première occasion à ses professeurs que votre fils ou votre fille a besoin d'avoir un accès rapide à son inhalateur. Nous entendons encore trop souvent parler d'inhalateurs gardés dans le bureau de la secrétaire de l'école et la distance entre ce bureau et le terrain

Prenez soin de vous et de votre enfant

- Ne fumez pas.

- Autant que possible, évitez d'attraper un rhume.

- Contrôlez votre degré d'exposition aux allergènes.

- Avec l'aide de votre médecin, établissez un plan d'action que vous gérerez vous-même.

- Informez les professeurs de l'état de votre enfant et de la nécessité de lui donner accès à ses inhalateurs au besoin.

- Évitez tous les « déclencheurs » reconnus.

de jeu est parfois grande. Si l'on explique aux professeurs comment permettre l'utilisation d'un inhalateur tout en évitant les abus, la communauté professorale aura moins d'inquiétudes quant à la présence de ces inhalateurs.

Les sports et la compétition

Plusieurs athlètes sont asthmatiques et ils peuvent tout de même participer à des compétitions de haut niveau. Certains des conseils de prévention donnés plus haut pour les enfants s'appliquent aussi aux adultes, particulièrement celui qui consiste à utiliser son inhalateur avant un effort physique. Une période de réchauffement peut aider jusqu'à un certain point pour les problèmes liés à l'asthme induit par l'exercice, surtout au moment d'entamer le premier exercice de la journée.

POINTS CLÉS

- Le contrôle des acariens de la poussière (ou mites domestiques) peut s'avérer important pour certains patients.

- Dans les cas d'asthme sévère, il peut arriver que l'on soit forcé de se séparer de son animal domestique.

- Les patients ayant des allergies alimentaires peuvent rarement arriver à contrôler les symptômes de l'asthme uniquement grâce à un régime.

- Les patients asthmatiques qui fument doivent renoncer à la cigarette.

- Fumer pendant la grossesse augmente les risques que votre enfant soit asthmatique dès sa naissance.

- Les parents d'un enfant asthmatique peuvent avoir à expliquer aux professeurs que leur fils ou leur fille a besoin d'avoir un accès rapide à son inhalateur.

Les médicaments pour le traitement de l'asthme

Les trois groupes de médicaments

Les médicaments utilisés dans le traitement de l'asthme sont rassemblés en trois groupes distincts. Ceux-ci sont :

- les médicaments visant à soulager les symptômes;
- les médicaments visant à prévenir les symptômes;
- les médicaments de secours (en cas de crise).

Les médicaments de soulagement (bronchodilatateurs)

Ces médicaments ont pour effet de détendre les muscles qui entourent les voies respiratoires, ce qui permet à ces voies de s'ouvrir et à l'air de circuler plus aisément, et la respiration s'en trouve facilitée. Ces médicaments sont aussi connus sous le nom de bronchodilatateurs et on les prend en inhalation. Les inhalateurs utilisés couramment sont généralement bleus, parfois verts ou gris. Plusieurs types d'inhalateurs sont disponibles sur le marché.

Dans la plupart des cas, les inhalateurs sont utilisés lorsque les symptômes apparaissent et non sur une base régulière, mais si votre asthme est plus sévère, votre médecin pourrait vous recommander une utilisation plus fréquente.

Les médicaments visant à prévenir les symptômes

Ces médicaments ont pour effet de réduire l'inflammation des voies respiratoires, les rendant ainsi moins irritées. Contrairement aux inhalateurs visant à soulager les symptômes, on doit les prendre de façon régulière, généralement deux fois par jour. D'une certaine façon, ils sont l'équivalent de la brosse à dents : l'utilisation régulière vous épargnera des problèmes ! En fait, plusieurs patients gardent leur inhalateur de prévention près de leur brosse à dents puisqu'il est facile d'oublier de prendre ses médicaments pour la prévention lorsque l'asthme est sous contrôle et que les symptômes se font plus rares. Les inhalateurs visant à prévenir les symptômes sont de couleur brune, orange, rouge ou jaune.

Il y a trois principaux types de médicaments préventifs :

- les stéroïdes inhalés ;
- le cromoglycate sodique ;
- le Nédocromil.

Il existe encore une fois différents types d'inhalateurs pour ces médicaments.

Les stéroïdes inhalés

Le mot « stéroïdes » a une connotation péjorative pour plusieurs personnes et il y a eu beaucoup de désinformation à propos de ces médicaments qui sont pourtant très efficaces :

- Les stéroïdes utilisés dans le traitement de l'asthme ne sont pas les stéroïdes anabolisants qu'utilisent illégalement certains athlètes de même que les adeptes de la musculation.

- La forme inhalée qui est utilisée dans le traitement de fond (ou préventif) est le même type de médicament que les comprimés de stéroïdes utilisés lors des crises d'asthme aiguës ainsi que par les patients atteints d'arthrite.

- La dose inhalée est extrêmement petite en comparaison des doses administrées sous forme de comprimés. Par exemple, deux bouffées par jour d'un inhalateur Becotide 100 cumulent 400 microgrammes du médicament. Dans les cas d'asthme aigu, on prescrira six comprimés de stéroïdes de 5 milligrammes (mg) chaque jour (soit 30 000 microgrammes de contenu médicamenteux, c'est-à-dire 75 fois la dose inhalée).

- Les effets secondaires des stéroïdes inhalés sont moins importants que lorsque le médicament est pris sous forme de comprimés. Mais ce qui est encore plus important, c'est qu'il est moins risqué de les prendre que de laisser l'asthme non traité.

- 5 % des patients recourant aux stéroïdes inhalés se plaindront d'irritation ou de sécheresse buccales (cela peut être causé par le muguet) et un autre 5 % diront avoir la voix rauque. Ce sont surtout les patients qui utilisent beaucoup leur voix, comme les professeurs ou les téléphonistes, qui s'en plaignent.

L'inhalation des médicaments

L'inhalation des médicaments constitue le traitement le plus efficace pour la prévention et le soulagement de l'asthme. L'inhalateur envoie rapidement le médicament dans les voies respiratoires, ce qui permet un soulagement instantané des symptômes.

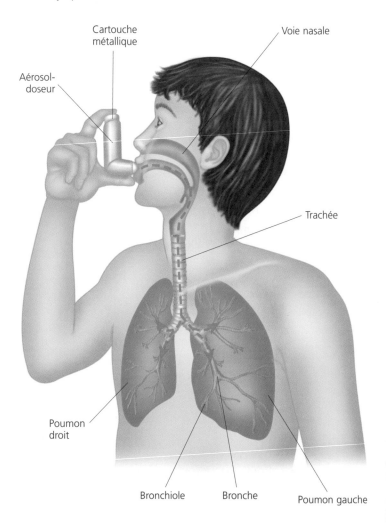

Cartouche métallique

Voie nasale

Aérosol-doseur

Trachée

Poumon droit

Bronchiole

Bronche

Poumon gauche

- Lorsqu'ils sont administrés à des doses plus élevées (1500 microgrammes par jour ou plus), particulièrement chez les patients plus âgés, des effets secondaires telle une propension accrue aux ecchymoses peuvent apparaître simultanément avec un muguet buccal (ou candidose) et un enrouement de la voix. Certains patients peuvent aussi développer des cataractes. Par ailleurs, on a avancé que les stéroïdes inhalés pourraient causer l'ostéoporose (amincissement des os), ce qui reste discutable. Tous ces effets secondaires doivent être comparés aux risques encourus par un asthme non traité. Les effets secondaires localisés de ces inhalateurs peuvent être minimisés par des bains de bouche après chaque dose et par l'utilisation d'une chambre d'inhalation (ou tube d'espacement), qui agit comme un « réservoir » et qui réduit considérablement la quantité de médicament déposé dans la bouche.

- Lorsque les stéroïdes inhalés sont prescrits à doses élevées, on observe un ralentissement de la croissance chez une faible proportion d'enfants, mais, fait intéressant, ce retard de croissance est presque toujours rattrapé lorsque ces enfants asthmatiques arrivent à l'âge adulte.

L'asthme chronique non traité dans l'enfance est plus susceptible d'affecter la croissance que les stéroïdes inhalés.

Les stéroïdes inhalés sont des médicaments préventifs très efficaces, et ce, pour tout le spectre des patients affectés par l'asthme. On considère qu'il s'agit là du meilleur traitement préventif pour la plupart des patients asthmatiques.

Les principaux médicaments pour l'asthme en inhalation

La plupart des médicaments pour l'asthme sont pris en inhalation. Les médicaments visant à soulager les symptômes sont utilisés après le début d'une crise.

Médicaments visant à soulager les symptômes	
Nom du médicament	**Nom commercial**
Salbutamol (ou albutérol)	Ventolin Salbulin Salamol Aerolin Airomir Evohaler
Terbutaline	Bricanyl
Fénotérol	Berotec
Salmétérol*	Serevent
Formotérol*	Foradil Oxis
Bromure d'ipratropium	Atrovent Atrovent nasal
Oxitropium bromure*	Oxivent
Tiotropium†	Spiriva

* Il s'agit de bronchodilatateurs à longue durée d'action dont les effets peuvent durer jusqu'à 12 heures.

† L'effet du tioptropium peut durer de 12 à 24 heures.

Les principaux médicaments pour l'asthme en inhalation (suite)

Les médicaments destinés à la prévention doivent être utilisés régulièrement afin de pouvoir contrôler les symptômes.

Médicaments visant à prévenir les symptômes	
Nom du médicament	**Nom commercial**
Salbutamol et bromure d'ipratropium	Combivent
Béclométhasone	Bécotide Becloforte Beclazone AeroBec Filair Qvar
Budésonide	Pulmicort
Flixotide††	Flixotide
Furoate de mométasone	Asmanex
Cromoglycate sodique (ou cromoglycate de sodium)	Intal (inhalateur et cartouches Spincaps) Cromolyn Nalcrom
Nédocromil	Tilade

†† La fluticasone est deux fois plus puissante que la béclométhasone et le budésonide.

Inhalateurs combinés
(prévention et soulagement)

Il existe maintenant deux inhalateurs – Seretide
(qui associe la fluticasone et le salmétérol) et Symbicort
(budésonide et formotérol) – qui contiennent à la fois
un stéroïde à inhaler (pour la prévention) et un bronchodilatateur à longue action (pour le soulagement).
Ce genre d'inhalateur permet d'en transporter un seul
avec soi plutôt que deux et ils peuvent inciter le patient
à se conformer au traitement.

Le cromoglycate sodique
(ou « cromoglycate de sodium »)

Le cromoglycate sodique existe depuis aussi longtemps
que les stéroïdes inhalés. C'est un bon médicament
préventif dans les cas d'asthme plus léger chez les
enfants et il est particulièrement utile pour contrôler
les symptômes de l'asthme à l'effort. On l'utilise trois
ou quatre fois par jour – c'est-à-dire plus souvent
que les stéroïdes inhalés –, mais il peut être utilisé
simplement avant un exercice physique pour prévenir
les symptômes induits par l'effort et il est presque sans
effets secondaires.

Nédocromil (Tilade)

Le nédocromil de sodium a une force préventive
similaire à celle d'un corticostéroïde inhalé à faible
dose. Il est vendu sous forme d'inhalateur contenant
une poudre sèche à saveur de menthe.

Omalizumab (Xolair)

Ce nouveau médicament avant-gardiste vise à contrer
les effets de l'anticorps immunoglobuline E (IgE). Il est
administré par injection (une injection toutes les trois

semaines) et il est surtout destiné aux patients souffrant d'un asthme allergique aigu. Ce médicament laisse présager le meilleur pour les patients sévèrement atteints, mais on ne prévoit pas l'utiliser pour les cas plus modérés.

Autres médicaments

Il y a deux autres groupes de médicaments utilisés dans le traitement de l'asthme :

- la théophylline;
- les antagonistes des récepteurs des leucotriènes.

La théophylline

Les comprimés regroupés dans la catégorie de médicaments appelée « théophylline » (Uniphyllin, Phyllocontin, Nuelin SA et Theo-Dur, par exemple) étaient à l'origine utilisés comme bronchodilatateurs, mais on les utilise de plus de plus souvent dans un but préventif. Ils sont probablement moins prescrits que par le passé parce que les stéroïdes inhalés se sont montrés sûrs et efficaces. Ils peuvent provoquer des nausées et des maux de tête chez certains patients, mais il ont l'avantage de pouvoir être administrés sous forme orale (certaines personnes ont du mal à s'habituer à utiliser un inhalateur).

Les antagonistes des récepteurs des leucotriènes

Les antagonistes des récepteurs des leucotriènes (Singulair, Accolate) sont une forme relativement nouvelle de traitement contre l'asthme. Il s'agit essentiellement de médicaments préventifs, mais ils ont tout de même un léger effet bronchodilatateur. Ils semblent bénéficier à certains patients affectés à divers degrés.

Certains croient qu'ils sont particulièrement efficaces pour les patients qui ont un problème de toux et de sécrétions. Même si ces médicaments sont théoriquement plus bénéfiques aux patients sensibles à l'aspirine, tous les patients ne peuvent pas nécessairement en bénéficier. Cependant, on devrait faire essayer ce médicament à tous ces patients. Jusqu'à maintenant, on a observé peu d'effets secondaires avec ce groupe de médicaments, ce qui est rassurant dans le cas d'un médicament administré par voie orale.

Le traitement d'urgence

Il y a deux façons d'intervenir lorsqu'une crise d'asthme aiguë survient:

- donner des doses élevées d'un médicament pour soulager les symptômes (le plus souvent un nébuliseur);

- donner des doses élevées d'un médicament anti-inflammatoire (par injection ou par voie orale).

Certains patients seront capables d'amorcer eux-mêmes un traitement d'urgence avec un nébuliseur et/ou des corticostéroïdes. Par contre, la plupart des patients qui n'ont jamais eu de crise grave auparavant devront contacter leur médecin le plus rapidement possible ou se présenter soit dans une clinique, soit à l'urgence d'un hôpital. Les délais peuvent être très dangereux en cas de crise et il vaut mieux faire preuve de prudence.

Les nébuliseurs

Les médicaments nébulisés qu'on utilise pour les crises graves sont le salbutamol (Ventolin), la terbutaline (Bricanyl) ou le bromure d'ipratropium (Atrovent).

Le bromure d'ipratropium et le salbutamol sont parfois administrés en association (Combivent). Les nébuliseurs ne devraient être utilisés qu'après une évaluation par votre médecin. L'appareil en tant que tel n'est qu'un simple compresseur qui transforme le médicament de l'état liquide vers la forme aérosol. La brume ainsi créée est inhalée avec un masque ou avec un embout. Les nébuliseurs ne sont pas disponibles partout. Si vous devez en acheter un, vous pourrez peut-être faire appel aux associations et organismes de charité, qui pourront vous aider à en trouver un.

Fonctionnement des nébuliseurs

Le nébuliseur est un simple compresseur d'air. Il transforme le médicament, qui passe de l'état liquide à la forme aérosol. La brume ainsi créée est inhalée avec un masque ou avec un embout.

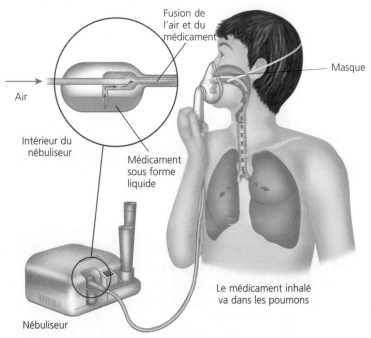

Fusion de l'air et du médicament

Masque

Air

Intérieur du nébuliseur

Médicament sous forme liquide

Le médicament inhalé va dans les poumons

Nébuliseur

Il y a cependant de plus en plus de preuves démontrant que l'utilisation des bronchodilatateurs à doses plus élevées administrées avec des chambres d'inhalation (voir plus bas) sont tout aussi efficaces que les nébuliseurs dans les cas d'asthme aigu. C'est particulièrement vrai pour les enfants : les bronchodilatateurs sont plus simples et moins coûteux.

Les nébuliseurs sont parfois recommandés pour une utilisation régulière aux patients avec un asthme sévère, mais cette solution n'est envisagée que lorsque les traitements à doses plus élevées ne donnent pas de résultats probants. Les nébuliseurs ne devraient pas être utilisés comme une solution de rechange aux traitements préventifs en inhalation.

L'utilisation des appareils

Plusieurs patients n'arrivent tout simplement pas à utiliser correctement les inhalateurs doseurs (aérosol-doseur). Une mauvaise manipulation de l'appareil fait en sorte que le médicament se répand dans l'air.

Le patient peut alors penser que l'inhalateur est déficient alors qu'avec la technique utilisée, celui-ci n'a presque aucune chance de pouvoir fonctionner. Si vous êtes l'un de ces patients, vous pouvez utiliser un autre type d'appareil d'inhalation, qui s'associe à votre souffle pour envoyer le médicament vers vos poumons (contrairement aux pompes, qui requièrent une coordination entre la respiration et l'envoi du jet).

L'appareil d'appoint le plus fréquemment utilisé est la chambre d'inhalation (ou le tube d'espacement). Il s'agit d'un gros ballon en plastique qui agit tel un réservoir : le médicament provenant de l'aérosol-doseur peut ainsi être respiré au bon moment par le patient. Les chambres d'inhalation sont faites de plastique fragile et il semble que cela favoriserait la présence d'électricité statique : le médicament resterait en partie collé aux parois de la chambre d'inhalation, réduisant ainsi la dose envoyée jusqu'aux poumons. La meilleure façon de remédier à ce problème est de nettoyer la chambre une fois par semaine et de la laisser sécher en s'égouttant. On peut aussi remédier à ce problème en frottant l'appareil avec un linge antistatique que l'on peut se procurer dans les magasins d'appareils haute-fidélité.

Le tube d'espacement (ou chambre d'inhalation)

Cet appareil permet au patient de se concentrer simplement sur l'inhalation du médicament plutôt que de l'obliger à coordonner l'inhalation du produit et l'émission du médicament (par pression sur le bouton).

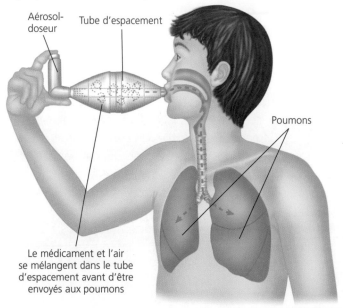

Aérosol-doseur

Tube d'espacement

Poumons

Le médicament et l'air se mélangent dans le tube d'espacement avant d'être envoyés aux poumons

Les autres types de chambres d'inhalation (ou tubes d'espacement) sont les Rotahalers, les Turbohalers, les Diskhalers, les Accuhalers, les Clickhalers et les Autohalers, qui ont tous des caractéristiques différentes pour répondre aux besoins de divers patients. Dans certains cas, il est évident qu'un patient est plus à son aise avec un modèle particulier plutôt qu'un autre.

Il est vital de trouver le bon modèle pour chacun des patients, puisqu'un appareil convenable a plus de chances d'être utilisé au bon moment et efficacement. Mis à part les tubes d'espacement, la plupart des « chambres d'inhalation » sont assez onéreuses. Par contre, un appareil plus « cher » utilisé correctement peut, à long terme, épargner bien des souffrances au patient qu'un appareil moins cher utilisé à mauvais escient.

L'abandon graduel des inhalateurs contenant des CFC

Les aérosols-doseurs contiennent des CFC, qui agissent comme agents propulseurs dans l'émission du médicament. Étant donné les effets qu'ont les CFC sur la couche d'ozone, le *Protocole de Montréal* a établi que les aérosols contenant des CFC devaient être éliminés aussi rapidement que possible. Un certain nombre de compagnies fabriquent des aérosols qui contiennent un produit de rechange qui a moins d'effets sur la couche d'ozone. Ces aérosols-doseurs sont similaires aux autres, mais avec ces nouveaux inhalateurs, le goût est plus prononcé qu'avec les anciens appareils.

Cependant, les médicaments contenus dans ces inhalateurs restent les mêmes et leur efficacité n'a pas changé.

Dans la catégorie des médicaments visant à soulager les symptômes, les aérosols-doseurs sans CFC sont tout aussi efficaces, mais dans le cas de l'une des marques de stéroïdes inhalés (le Qvar de 3M), la puissance par microgramme est deux fois plus grande que dans la formule avec CFC. Votre pharmacien pourra vous donner plus d'informations à ce sujet.

La gamme des appareils d'inhalation

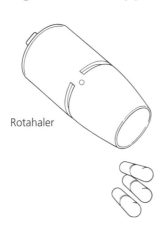

Rotahaler

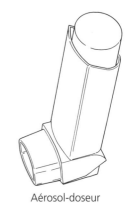

Aérosol-doseur

Handihaler

Accuhaler

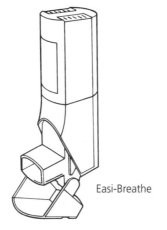

Easi-Breathe

Spinhaler

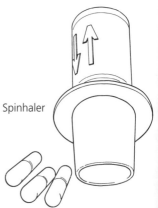

(échelle réduite)

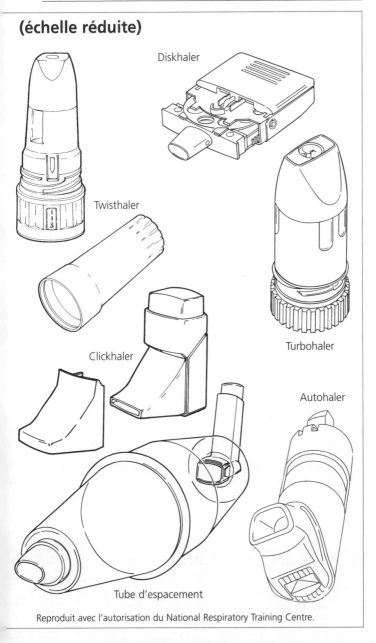

Diskhaler

Twisthaler

Turbohaler

Clickhaler

Autohaler

Tube d'espacement

Reproduit avec l'autorisation du National Respiratory Training Centre.

POINTS CLÉS

■ Les médicaments utilisés dans le traitement de l'asthme sont les médicaments visant à soulager les symptômes, les médicaments visant à prévenir les symptômes et les médicaments de secours (en cas de crise).

■ Les stéroïdes inhalés représentent le traitement préventif privilégié pour la plupart des patients asthmatiques.

■ Il faut trouver pour chaque patient le bon médicament et le dispositif adéquat pour l'administrer.

Le traitement de l'asthme

Contrôler l'asthme

Le but du traitement de l'asthme est de permettre au patient de contrôler la maladie plutôt que d'être contrôlé par elle. Pour les patients qui n'ont besoin qu'occasionnellement de leur inhalateur pour se soulager, le contrôle est assez aisé, mais pour les patients atteints plus sévèrement, un plan d'action doit être élaboré par le médecin traitant et le patient.

Bien que nous ayons affirmé que l'asthme est une maladie qui requiert une gestion personnalisée et que ce qui est bon pour un patient pourrait ne pas convenir à un autre, des lignes directrices ont été émises afin d'aider les infirmières et les médecins à gérer l'asthme de l'ensemble des patients. Ces lignes directrices ont été élaborées par un comité d'experts issus des différents groupes impliqués dans le traitement de l'asthme.

Ces lignes sont simples et elles sont suivies par un nombre croissant de médecins et d'infirmières spécialisés dans le domaine des troubles respiratoires. Elles sont basées sur une série de mesures renforcées en cours de traitement, afin de contrôler l'asthme, et sur une série de mesures plus souples lorsque l'asthme semble être maîtrisé et que le traitement peut se poursuivre avec des doses moindres de médicaments.

Avant de décrire ces mesures, laissez-moi vous rappeler l'importance des mesures préventives, qui sont similaires à celles que j'ai présentées dans le chapitre « Comment prévenir les crises et s'aider soi-même » (voir page 40) et qui comprennent le contrôle des éléments allergènes. Il est très important d'éviter les médicaments qui peuvent causer l'apparition de l'asthme ou aggraver un asthme déjà présent (l'aspirine, par exemple, les anti-inflammatoires non stéroïdiens – ou AINS – et les bêtabloquants, y compris les gouttes pour les yeux).

Même si vous utilisez ces médicaments depuis un bon moment sans problème, vous devriez cesser de les prendre si jamais vous vous rendez compte que vous avez le souffle court ou une respiration sifflante.

Vous devriez aussi cesser de recourir aux médicaments similaires à l'aspirine et trouver des solutions de rechange (voir « Les formes d'asthme particulières », page 90). Vous pouvez discuter de ces choses avec votre médecin ou avec votre phramacien.

Les mesures d'intervention

Les lignes directrices présentées ici sont basées sur le document *British Asthma Guidelines* (« Lignes directrices pour l'asthme au Royaume-Uni ») dont la plus récente version a été publiée en 2005. Ces lignes prévoient le recours à une méthode graduelle pour contrôler les symptômes de l'asthme en recourant à la plus petite quantité de médicament possible.

Mesure 1

La plupart des patients se retrouvent à ce niveau. On conseille aux patients d'utiliser leur inhalateur prévu pour le soulagement des symptômes tel qu'indiqué préalablement. Si vous pouvez toujours recourir à votre inhalateur moins d'une fois par jour en moyenne, aucun médicament ne sera ajouté à votre traitement, mais si vous devez utiliser votre inhalateur plus souvent pour vous soulager, il est recommandé de consulter votre médecin. Si vous devez recourir à votre inhalateur plus d'une fois par jour de façon régulière, passez à la Mesure 2.

Mesures pour contrôler l'asthme

Ces lignes directrices simples, élaborées par des médecins et des infirmières impliqués dans le traitement de l'asthme, visent à ce que la plus petite dose possible de médicament soit utilisée pour contrôler adéquatement les symptômes de l'asthme.

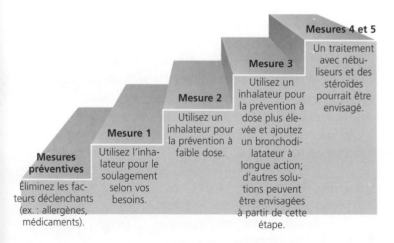

Mesures 4 et 5
Un traitement avec nébuliseurs et des stéroïdes pourrait être envisagé.

Mesure 3
Utilisez un inhalateur pour la prévention à dose plus élevée et ajoutez un bronchodilatateur à longue action; d'autres solutions peuvent être envisagées à partir de cette étape.

Mesure 2
Utilisez un inhalateur pour la prévention à faible dose.

Mesure 1
Utilisez l'inhalateur pour le soulagement selon vos besoins.

Mesures préventives
Éliminez les facteurs déclenchants (ex. : allergènes, médicaments).

Mesure 2

Si vous utilisez votre inhalateur plus d'une fois par jour en moyenne, vous avez besoin d'un inhalateur visant à *prévenir* les symptômes. En règle générale, le choix de celui-ci est effectué par le médecin (voir « Les médicaments pour le traitement de l'asthme », page 51). Cela devrait vous permettre de réduire l'utilisation de votre inhalateur visant à soulager les symptômes à moins d'une prise par jour tout en diminuant l'importance de vos symptômes.

Mesure 3

Si vos symptômes persistent, votre médecin vous prescrira des doses plus élevées d'un médicament préventif en inhalation ou il pourrait aussi envisager l'ajout d'un autre médicament. Encore une fois, c'est votre médecin qui doit prendre ces décisions, mais il doit aussi en discuter avec vous, le patient, afin de tenir compte de vos besoins particuliers.

Mesures suivantes (4 et 5)

Si vos problèmes persistent, on pourrait décider de vous prescrire des doses encore plus élevées de médicaments préventifs en inhalation, des comprimés à base de stéroïdes et des médicaments nébulisés, entre autres possibilités. À cette étape, il est probable que vous serez dirigé vers un spécialiste en médecine thoracique afin d'évaluer votre état, mais on recommande cependant à certains patients de retourner à la mesure 3.

Le retrait

Il est peut-être trop facile, pour les médecins, de commencer un nouveau traitement lorsqu'ils n'arrivent pas à contrôler les symptômes. Il n'est pas si facile d'interrompre un traitement soit parce que les symptômes sont sous contrôle, soit parce que le nouveau médicament prescrit est resté sans effets.

Que faire lors d'une crise d'asthme

- Éloignez-vous de tout endroit où sont présents les facteurs déclenchants tels que votre lieu de travail ou une pièce enfumée.

- Utilisez votre médicament visant à soulager les symptômes selon le plan d'action préparé à votre intention.

- Asseyez-vous, essayez de vous détendre et de rester calme. Essayez de penser à autre chose.

- Si le médicament n'a pas fait effet après 15 minutes, répétez la dose.

- Si votre plan d'action prévoit le recours à des stéroïdes par voie orale à cette étape-ci, suivez ce plan.

- Si votre état ne s'améliore pas après 15 minutes, appelez votre médecin, présentez-vous à l'urgence d'un hôpital ou demandez une ambulance.

Les plans d'action

Les plans d'action aident plusieurs patients à contrôler leur asthme. Il s'agit d'une série de consignes vous indiquant ce que vous devez faire lorsque votre asthme échappe à votre contrôle ou dans des situations où il risque de s'aggraver. Il y a deux genres de plan d'action.

Carnet de suivi de l'asthme (exemple)

Nom : ....

Voici quelques questions concernant vos symptômes. Si ce

	1 LUN.	2 MAR.	3 MER.	4 JEU.	5 VEN.
a. Avez-vous toussé aujourd'hui ?					
b. Avez-vous eu un sifflement aujourd'hui ?					
c. Avez-vous eu le souffle court aujourd'hui ?					
d. Votre asthme vous a-t-il réveillé pendant la nuit ?					
e. Avez-vous été absent de l'école ou du travail aujourd'hui ?					
f. Avez-vous évité certaines activités à cause de votre asthme aujourd'hui ?					

Notez les valeurs de la mesure de votre débit expiratoire de pointe (DEP) chaque jour de la semaine. Vous devez mesurer votre DEP tous les matins et tous les soirs. Vous devriez faire trois essais et noter ici la valeur la plus élevée.

Heure	am	pm	am	pm	am	pm	am	pm	am	pm
600										
550										
500										
450										
400										
350										
300										
250										
200										
150										
100										

Notez le nombre de doses (inhalations ou comprimés) de chacun de vo

Nom du médicament

1						
2						
3						

Carnet de suivi de l'asthme (exemple) (suite)

Date : ....

symptôme vous a affecté, cochez la case correspondante.

6 SAM.	7 DIM.	8 LUN.	9 MAR.	10 MER.	11 JEU.	12 VEN.	13 SAM.	14 DIM.

am	pm	am	pm	am	pm	am	pm	am	pm	am	pm	am	pm	am	pm	am	pm

médicaments que vous avez prise au cours de la journée (24 heures).

Le plan d'action basé sur la mesure du débit expiratoire de pointe (DEP)

Le débitmètre est simple à utiliser et les résultats peuvent être lus facilement. Une expiration puissante et rapide suffira à établir la vitesse maximale à laquelle le souffle peut sortir de vos poumons. On recommande habituellement de répéter le test trois fois et de noter le résultat le plus élevé. Il suffit généralement de noter ces valeurs deux fois par jour (au réveil et avant le coucher), mais votre médecin pourrait vous demander d'effectuer le test plus souvent.

Dans le cadre d'un plan d'action basé sur la mesure du débit expiratoire de pointe, vous aurez besoin d'un débitmètre et d'une fiche de débitmètre de pointe pour noter vos résultats. On pourrait aussi vous donner deux valeurs limites. Celles-ci peuvent varier considérablement d'un patient à l'autre; votre médecin ou une infirmière vous indiquera quelles sont celles qui correspondent à votre schéma personnel de résultats.

Le premier niveau correspond à une valeur comprise entre 80 et 100 % des valeurs théoriques du DEP ou de la valeur maximale du patient. Si votre débit expiratoire de pointe est supérieur à cette valeur, vous n'avez pas besoin de modifier votre traitement, mais s'il chute au-dessous de cette valeur en moins de 24 heures, vous devriez doubler les doses de votre traitement préventif en inhalation jusqu'à ce que votre DEP ait remonté au-dessus de la valeur limite et qu'elle y reste au moins deux ou trois jours. Plusieurs patients peuvent utiliser cette méthode, mais votre médecin pourrait décider que cette approche ne vous convient pas.

Le deuxième niveau correspond habituellement à une valeur comprise entre 50 et 60 % de la valeur maximale du patient. À ce niveau, vous devriez recourir aux comprimés à base de stéroïdes par voie orale. Vous pourriez être autorisé à passer à cette étape par vous-même, mais certains médecins préfèrent voir leur patient pour s'assurer que le recours aux corticostéroïdes est bien nécessaire.

Il existe un seuil à partir duquel il vous faudra aller soit chez votre médecin, soit à l'urgence d'un hôpital. Ce seuil sera fixé par votre médecin.

La fiche de débit de pointe pour noter vos résultats peut être constituée soit de colonnes dans lesquelles vous notez vos résultats (habituellement deux fois par jour), soit d'un graphique permettant de voir la courbe des valeurs. Certains patients préfèrent cette deuxième forme de fiche parce que les variations du débit de pointe peuvent être mieux évaluées.

Histoire de cas 1 : Plan d'action basé sur la mesure du débit de pointe

William avait toujours été un enfant difficile, et pas seulement parce qu'il était asthmatique. Il ne prenait son médicament en inhalation que lorsqu'il en ressentait le besoin et, pour cette raison, il était souvent absent de l'école. Lorsqu'il est entré à l'école secondaire, son asthme ne montrait aucun signe d'atténuement et son médecin a décidé d'établir un plan d'action.

Pour la première fois, William a commencé à noter ses résultats de mesure du débit de pointe au réveil et au coucher. Le débitmètre était gardé tout près de son lit et ses parents pouvaient vérifier dans son carnet qu'il notait bien ses résultats. Étonné, William a découvert que ses résultats variaient considérablement, descendant parfois aussi bas que 150 au réveil, mais atteignant 270 le même soir.

Il a finalement compris ce qui se passait et il a commencé à utiliser son inhalateur préventif de façon plus régulière; les variations de ses résultats sont devenues moins importantes et ceux-ci ont aussi légèrement augmenté tout en se stabilisant entre 300 et 350. À ce point, il avait déjà commencé à utiliser son inhalateur de prévention matin et soir

Pour contrôler l'asthme de votre enfant

- Assurez-vous de pouvoir reconnaître les facteurs déclenchants pouvant affecter votre enfant et évitez-les autant que possible.

- Bannissez la fumée de votre maison ! Cela aura un double bénéfice : améliorer la santé de ceux et celles qui cesseront de fumer en plus d'assurer le bien-être de votre enfant.

- Ayez une bonne compréhension de la médication prescrite à votre enfant tout en sachant quand et comment l'utiliser.

- Assurez-vous que votre enfant prend bel et bien ses médicaments !

- Si votre enfant est assez mature, expliquez-lui comment fonctionne sa médication.

- Il serait pertinent de discuter de l'asthme de votre enfant avec les employés de l'école qu'il fréquente afin de vous assurer qu'ils comprennent bien les problèmes relatifs à son état.

- Discutez avec votre médecin ou avec une infirmière de la possibilité d'établir un plan d'action, et si on vous communique un tel plan, suivez les instructions.

et il recourait moins souvent à son inhalateur visant à soulager les symptômes.

Son médecin lui a alors fixé une valeur limite de 275, lui recommandant de doubler la dose de son médicament préventif si les valeurs descendaient sous cette limite dans les 24 heures suivantes et de continuer à prendre la dose maximale si ses résultats restaient au-dessus de la valeur limite pendant au moins trois jours.

Un deuxième seuil a été fixé avec la valeur limite de 175, valeur au-dessous de laquelle William devait contacter son médecin pour obtenir des comprimés à base de stéroïdes. Mais il n'a pas été nécessaire de recourir à ces comprimés. William avait commencé à remarquer les bénéfices tirés de son traitement préventif. Au cours de l'année suivante, il n'a eu à augmenter ses doses de stéroïdes inhalés qu'en trois occasions seulement (son débit de pointe ayant descendu sous 275 en ces occasions).

Les plans d'action basés sur l'évolution des symptômes

Le concept est similaire à celui des plans d'action basés sur la mesure du débit de pointe, mais on se base ici sur l'évolution de certains symptômes – plutôt que sur les variations des valeurs du débit de pointe – pour effectuer des changements dans le traitement.

Histoire de cas 2 : Un plan d'action basé sur les symptômes

Jacky ne s'était pas bien adaptée à son plan d'action basé sur la mesure du débit de pointe. Ses résultats ne semblaient pas lui fournir les informations dont elle avait besoin pour contrôler son asthme et il était

devenu fastidieux pour elle de suivre ce plan –
« simplement pour satisfaire le médecin », comme elle
disait. Fort heureusement, le médecin a pris conscience
de ses résistances et il a proposé un plan d'action basé
sur l'évolution des symptômes. En doublant les doses
de son inhalateur préventif chaque fois qu'elle devait
utiliser son inhalateur visant à soulager les symptômes,
plus de trois fois par jour pendant deux jours consécu-
tifs, quand elle avait un rhume ou lorsque ses
symptômes la réveillaient au milieu de la nuit, elle a
réussi à mieux contrôler son asthme. Si le fait de
doubler les doses de son inhalateur préventif ne
suffisait pas, elle savait qu'elle devait voir son médecin
pour une réévaluation; en ces cas-là, on lui demandait
de prendre la mesure de son débit de pointe à
quelques reprises avant la consultation, « juste pour
voir ». Ce plan a permis au médecin de constater
qu'elle contrôlait son asthme de façon satisfaisante.

L'oxyde nitrique exhalé

On a découvert récemment que la quantité d'oxyde
nitrique exhalé par une personne au cours de sa respiration peut indiquer si cette personne arrive à contrôler
son asthme. Il est encore trop tôt pour le confirmer,
mais on peut espérer que cette mesure permettra
éventuellement d'évaluer le contrôle de l'asthme chez
les patients. À l'heure actuelle, c'est un test qui est le
plus souvent effectué dans une clinique ou dans le
cabinet du médecin et il s'agit encore essentiellement
d'un outil de recherche.

Choisir son plan

Certains patients semblent mieux s'adapter à un plan
basé sur la mesure du débit de pointe (DEP) et d'autres

préfèrent un plan basé sur l'évolution des symptômes; plusieurs facteurs interviennent dans la décision de recourir à l'un ou l'autre plan. Certaines personnes semblent tout à fait incapables ou non motivées à utiliser un plan donné, mais si l'asthme n'est pas contrôlé de façon satisfaisante, les médecins et infirmières feront tout en leur possible afin d'établir un système qui permettra au patient de mieux contrôler son asthme par lui-même. Pour certains patients, on peut parfois créer un plan basé en partie sur la mesure du DEP et en partie sur l'évolution des symptômes. Les deux parties du plan vont prévoir les mesures à prendre en cas de rhume ou d'exposition à des allergènes. Si vous ressentez les premiers symptômes du rhume, vous devriez doubler les doses de votre inhalateur préventif, et ce, pendant une semaine au moins; lorsque les symptômes auront disparu, vous pourrez retourner à votre dose normale. Certains patients ont besoin de recourir aux stéroïdes inhalés seulement lorsqu'ils ont le rhume; ils devraient commencer leur traitement dès l'apparition des tout premiers symptômes du rhume et le poursuivre pendant deux semaines. Si leur asthme leur cause toujours problème, ils devraient alors maintenir leur traitement préventif et contacter leur médecin traitant.

Cliniques médicales

On trouve dans plusieurs cliniques médicales des cliniques pour l'asthme, dirigées soit par le médecin, soit par l'infirmière attitrée de la clinique. Plusieurs de ces cliniques sont administrées par des infirmières spécialisées dans la gestion de l'asthme. Elles jouent un rôle important dans le contrôle de la maladie et elles contribuent à offrir un meilleur service aux patients

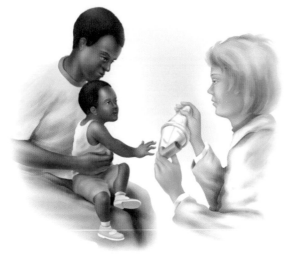

On trouve dans plusieurs cliniques médicales des cliniques pour l'asthme, dirigées par une infirmière dûment formée pour conseiller les patients et pour superviser le traitement de leur maladie.

asthmatiques dans les cliniques médicales. Voilà qui fait diminuer le nombre de cas dirigés aux hôpitaux; ce système permet en outre de donner des références plus appropriées lorsque le patient éprouve des problèmes particuliers.

L'infirmière rencontre souvent le patient asthmatique plus souvent que ne le fait le médecin et celui-ci a alors plus de temps à consacrer à ses autres patients. Par ailleurs, l'infirmière sait très bien identifier les cas où le patient devrait être vu par le médecin. L'ouverture d'une clinique pour l'asthme dirigée par une infirmière dûment formée pour cette tâche devrait devenir une priorité pour toutes les cliniques médicales.

POINTS CLÉS

- Des lignes directrices ont été élaborées afin d'aider les infirmières et les médecins à gérer l'asthme de l'ensemble des patients de façon optimale. Il s'agit d'une méthode basée sur une série de mesures graduelles.

- L'une des meilleures façons de permettre aux patients de contrôler leur asthme est de leur transmettre un plan d'action.

- Les plans d'action peuvent être basés soit sur la mesure du débit de pointe, soit sur l'évolution des symptômes.

L'asthme chez les personnes âgées

Qui devient asthmatique ?

L'asthme est généralement vu comme une maladie qui touche surtout les jeunes, particulièrement les enfants, et il est vrai que l'asthme est plus fréquent chez les enfants, comme nous l'avons vu précédemment. En vieillissant, certains de ces patients gardent des symptômes persistants, certains n'ont que des symptômes mineurs et d'autres ne ressentent plus du tout leurs symptômes.

Certains patients seront touchés par l'asthme pour la première fois à l'âge adulte. On croit que ces patients sont plus susceptibles d'avoir un asthme plus sévère et de devoir recourir aux comprimés à base de stéroïdes. On croit aussi que les allergies ne sont pas nécessairement la cause de cet asthme. Même si ces croyances comportent une certaine part de vérité, il est important de tenir compte du fait qu'il y a un chevauchement des différents schémas de l'asthme à travers les groupes d'âges. Il est sans doute utile de répéter, encore une fois, que chaque patient doit être évalué de façon individuelle.

Les symptômes

Les symptômes chez les personnes âgées sont iden-tiques à ceux que l'on observe chez les patients plus jeunes, mais le souffle court, tout particulièrement à l'effort, est particulièrement fréquent dans le premier cas. Cela est dû en partie au fait que plusieurs personnes de plus de 60 ans ont, à une étape ou l'autre de leur vie, fumé la cigarette, ce qui peut avoir entraîné un rétrécissement irréversible du tube bron-chique. Chez certaines personnes, l'effort provoquera donc plus facilement l'essoufflement.

Certains problèmes peuvent émerger lorsqu'une personne plus âgée se plaint de ressentir une oppres-sion thoracique à l'effort. Puisque les troubles cardiaques sont fréquents dans ce groupe d'âges et que l'angine de poitrine peut provoquer le même symptôme, il peut y avoir un retard de diagnostic de l'une ou l'autre maladie (l'angine ou l'asthme).

Histoire de cas : Asthme tardif

Tom, un homme de 82 ans, est allé consulter son médecin en lui disant qu'il avait des épisodes de souffle court depuis six mois. Ce problème apparaissait parfois de façon tout à fait inattendue et parfois après un effort physique. Il n'avait pas de respiration sifflante, mais il a admis avoir une sensation d'oppres-sion dans la poitrine, particulièrement lorsque son essoufflement était causé par l'effort.

Se fiant à sa première impression, le médecin a pensé qu'un homme de cet âge avait probablement ces symptômes à cause d'un problème cardiaque, mais le traitement pour l'angine qu'il lui a prescrit est resté sans effet. On l'a envoyé voir un spécialiste à l'hôpital, qui a jugé que la possibilité d'un asthme tardif devait être exclue, et ce, même s'il croyait que ce diagnostic était peu probable. À la grande surprise et au grand plaisir du spécialiste, les résultats de la mesure du débit de pointe effectuée assidûment par le patient indiquaient la variation caractéristique observée dans les cas d'asthme. On a prescrit au patient des médicaments contre l'asthme, ce qui a considérablement amélioré ses symptômes.

La réaction du patient lorsqu'on lui a appris qu'il avait un problème d'asthme est intéressante puisqu'il a tout d'abord ressenti de la colère.

« Pourquoi moi ? Je n'ai jamais fumé et j'ai toujours pris soin de ma santé. Et il n'y a jamais eu d'asthme dans ma famille. Pourquoi moi ? »

On l'a rassuré et on lui a expliqué que l'inhalation de deux doses de stéroïdes deux fois par jour lui permettrait d'améliorer considérablement son état, ce qui a calmé sa colère. Il peut maintenant jardiner comme il le faisait auparavant et ce n'est que de façon occasionnelle qu'il a besoin de recourir à son inhalateur pour soulager les symptômes.

Quel est le traitement ?

Encore une fois, le traitement de l'asthme chez un patient plus âgé est le même – et il suit les mêmes étapes – que celui d'un patient plus jeune. L'utilisation des inhalateurs peut poser des problèmes particuliers. Les inhalateurs à poudre sèche Rotacap peuvent être difficiles à manipuler pour un patient atteint d'arthrite et certains patients aux prises avec des problèmes de raideurs ou de douleurs aux mains ne parviennent tout simplement pas à utiliser un aérosol-doseur (pompe-pression). Des dispositifs ont été conçus à l'intention de ces patients (Haleraid, par exemple, qui est fabriqué par Allen & Hanburys et que l'on peut se procurer sur commande spéciale), mais l'utilisation d'une chambre d'inhalation permet souvent de remédier au problème; en certains cas, l'utilisation d'un inhalateur plus facile à manipuler (voir pages 60-62) devra aussi être envisagée. La question est de réussir à trouver un appareil d'inhalation qui tiendra compte des besoins particuliers du patient.

L'âge avançant, les patients recourent souvent à une pléthore de comprimés, de potions et autres médicaments pour diverses maladies. Tout cela devient très confus et il incombe au médecin de trouver un moyen de garder le « régime » de médicaments aussi simple que possible. Il est parfois même nécessaire de sacrifier ce qui serait le traitement idéal simplement pour s'assurer que le patient prendra au moins les médicaments les plus importants.

Les effets secondaires des médicaments chez les patients plus âgés

Les effets secondaires sont plus fréquents chez les personnes âgées, toutes formes de traitement confondues. Pour la personne aux prises avec un asthme plus sévère, les effets secondaires des corti-costéroïdes peuvent être plus sévères aussi, particulièrement l'ostéoporose et les problèmes de peau, puisqu'on observe une propension accrue aux ecchymoses (légères), un amincissement de la peau et une mauvaise cicatrisation des plaies. Les patients qui prennent des stéroïdes inhalés à dose élevée (plus de 1500 microgrammes par jour) peuvent aussi développer ces problèmes de peau, quoique de façon moins prononcée.

Quelles perspectives pour ces patients ?

L'asthme qui apparaît tardivement a peu de chances de se résorber chez les patients concernés, qui se sont donc trouvé un compagnon imprévu pour leurs vieux jours. La maladie ne s'aggravera pas nécessairement, toutefois, et un traitement adéquat et bien administré sera très efficace pour contrôler les symptômes.

Chaque personne aura ses propres objectifs ou besoins. Pour certaines, le but sera tout simplement de pouvoir jardiner un peu, ce que leur asthme, lorsque non traité, ne leur permettait peut-être plus de faire. D'autres aspireront à pouvoir se promener ou à faire elles-mêmes leurs courses ou aller boire un verre avec leurs amis. Le traitement pourra être considéré comme un succès s'ils réussissent à atteindre leur objectif personnel sans avoir à augmenter constamment les doses de leur médicament en inhalation afin d'arriver à une amélioration qui n'est pas nécessairement celle que souhaite le patient ou à laquelle il ne peut aspirer de façon réaliste.

Comme je l'ai mentionné précédemment, les décès par l'asthme ont augmenté chez les patients plus âgés dans les années 1990, mais les causes de ces décès ne sont pas toujours claires. Je crois pour ma part qu'à une autre époque, plusieurs de ces décès auraient été imputés à des bronchites (et, dans les faits, certains décès attribués à l'asthme plus récemment pourraient être le fait de bronchites chroniques). Il ne faut donc pas tomber dans la complaisance afin d'éviter des décès par l'asthme, et ce peu importe l'âge à laquelle la maladie se manifeste.

Les perspectives pour les patients plus âgés devraient donc être considérées comme positives. Même si les patients atteints plus sévèrement devront trouver un juste équilibre entre les symptômes de l'asthme et les effets secondaires des médicaments, le traitement est sûr et efficace.

POINTS CLÉS

■ L'asthme peut apparaître tardivement et les patients plus âgés sont plus susceptibles d'avoir le souffle court lors d'un effort physique.

■ Il est parfois difficile de distinguer entre l'angine de poitrine et l'asthme chez les personnes âgées.

■ Les effets secondaires dus au traitement contre l'asthme sont plus fréquents chez les patients plus âgés.

■ Même si l'asthme ne disparaîtra sans doute jamais, les patients plus âgés peuvent contrôler leur maladie efficacement avec une médication adaptée à leurs besoins particuliers.

Les formes d'asthme particulières

Dans plusieurs cas, on ignore quelles sont les causes de l'asthme. Dans d'autres cas, cependant, on sait qu'un allergène peut déclencher une crise. L'asthme nocturne, l'asthme médicamenteux (aspirine) et l'asthme instable sont des formes d'asthme particulières.

L'asthme allergique

Si une ou plusieurs allergies à certaines substances ont été identifiées comme étant potentiellement importantes dans votre histoire médicale, il est parfois nécessaire de faire plus de tests pour confirmer le diagnostic et pour identifier le ou les allergène(s). Ce test est fort simple et trente minutes suffisent à le compléter.

Une série de gouttes contenant diverses substances connues pour causer des réactions allergiques (les acariens de la poussière, le pollen de l'herbe ou des arbres, les squames de chat, etc.) sont déposées sur l'avant-bras. La peau est alors percée avec de fines

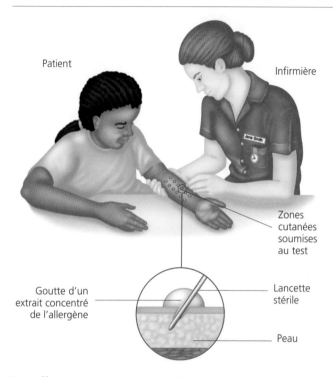

Patient

Infirmière

Zones
cutanées
soumises
au test

Goutte d'un
extrait concentré
de l'allergène

Lancette
stérile

Peau

Pour effectuer un test cutané, on dépose une goutte d'un
extrait concentré de l'allergène sur la peau. On pique ensuite
la peau à travers la goutte. L'apparition d'une petite bosse
(« papule ») indique une réaction positive à l'allergène.

aiguilles pour que la substance pénètre sous la peau.
Après une quinzaine de minutes, des réactions
localisées peuvent se produire et apparaître sous la
forme d'éruptions cutanées habituellement accompa-
gnées de démangeaisons. Les piqûres en tant que
telles ne sont pas douloureuses – on a l'impression
d'un léger grattement –, mais les démangeaisons
peuvent être terribles et durer environ une demi-heure.

L'importance de la réaction (la superficie ou
l'enflure) peut être mesurée pour chacun des allergènes, ce qui donne une idée non seulement des

substances auxquelles vous êtes allergique, mais aussi de la gravité de ces allergies. Cela est parfois utile dans le cadre du plan d'action, puisque vous pouvez ainsi identifier les déclencheurs qu'il vous faudra éviter ainsi que les éléments qui sont moins importants que vous ne le pensiez.

Le risque, avec ce test, est que les patients prennent parfois des mesures après des réactions qui ne sont pas très importantes. J'ai vu des patients suivre des régimes draconiens qui n'étaient pourtant pas nécessaires à cause d'une faible réaction aux tests cutanés, et ces mesures n'ont pas amélioré leur asthme. Mais cela n'est pas si fréquent : chaque individu a ses propres besoins et nous devons y répondre au cas par cas.

La désensibilisation

Si vous êtes allergique à un allergène précis (les chats ou les lapins, par exemple) et que votre asthme s'aggrave parce que vous ne pouvez éviter tout contact avec cet allergène et que les traitements habituels échouent, vous pouvez envisager un traitement par désensibilisation. Ce traitement doit être effectué par un spécialiste reconnu et il doit cibler un seul allergène à la fois. Ce genre de traitement ne doit être effectué qu'en milieu hospitalier puisqu'on a vu plusieurs cas de réactions graves à la désensibilisation, dont des crises d'asthme aiguës (nécessitant une hospitalisation) et même des décès. Les risques sont moins grands si le traitement vise seulement le rhume des foins, mais dans le cas d'un traitement pour l'asthme, on doit être très prudent.

Le procédé consiste à administrer, habituellement sur la partie supérieure du bras, une série d'injections d'infimes quantités des substances auxquelles vous êtes allergique. On commence par injecter de très, très petites quantités de l'allergène et on augmente la concentration chaque jour ou chaque semaine (il s'agit d'une « immunothérapie accélérée ») afin d'éviter que se produisent de graves réactions allergiques. Les séries d'injections sont effectuées selon diverses échelles de temps avant d'être considérées comme complètes et ces échelles seront fixées par le centre de traitement en tenant compte de vos besoins. On observe assez souvent des petites réactions locales (une rougeur de la peau autour de la piqûre), mais celles-ci se sont généralement résorbées avant la fin de la journée. Lorsque la série d'injection est terminée, il peut y avoir des injections de rappel à divers intervalles.

La désensibilisation spécifique pour l'asthme est un traitement auquel on recourt rarement au Royaume-Uni, notamment à cause de la gravité des réactions possibles et aussi parce que de nombreux médecins ne croient pas à l'efficacité de ce traitement. Si vous aimeriez savoir si ce traitement, qui ne peut convenir qu'à une minorité de patients asthmatiques, pourrait vous aider, demandez à votre médecin traitant de vous référer à un centre spécialisé en ce domaine.

L'asthme nocturne

L'asthme nocturne est souvent considéré comme une forme d'asthme particulière. Le fait de se réveiller la nuit à cause des symptômes de l'asthme est un signe que la maladie est mal contrôlée et ce constat est valable pour tous les patients asthamatiques. Dans la plupart des cas, un traitement mieux adapté permettra de remédier au problème, mais certains patients sont plus difficiles à contrôler. Chez ces

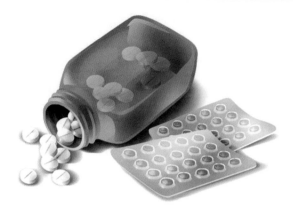

patients, des facteurs tels les reflux gastriques (l'acide stomacal remonte dans la poitrine durant la nuit et cause des irritations) peuvent être à l'origine du problème et celui-ci doit donc être traité. Certains médicaments, comme la théophylline et les bronchodilatateurs à longue action, sont souvent utiles pour contrôler les symptômes de l'asthme nocturne.

L'asthme à l'aspirine (asthme médicamenteux)

La sensibilité à l'aspirine est présente chez environ 5 % des patients asthmatiques d'âge adulte. Elle est très rare chez les enfants. Ces patients obtiennent presque toujours un résultat négatif aux tests cutanés pour les allergènes et plusieurs développent des polypes nasaux de façon récurrente. Si cela est votre cas, vous devez éviter tous les médicaments à base d'aspirine, y compris toute la gamme des médicaments pour le traitement de l'arthrite comme l'ibuprofen, le diclofenac et l'indomethacin (regroupés sous la bannière des anti-inflammatoires non stéroïdiens ou

AINS). Si vous n'êtes pas certain qu'un médicament particulier est susceptible ou non de vous nuire, consultez votre médecin ou votre pharmacien. Les patients sensibles à l'aspirine peuvent mourir après l'absorption d'un médicament contenant cette substance. Même si le traitement consiste généralement à éviter cette substance, une désensibilisation peut être effectuée avec succès, mais il faut pour cela s'adresser à un centre spécialisé.

Le procédé de désensibilisation, pour cette forme d'asthme, consiste généralement à administrer par voie orale de petites doses d'aspirine; le patient est maintenu sous observation à l'hôpital et l'on effectue des tests respiratoires pendant quelques heures après l'administration de chaque dose. Le traitement est long, mais pour certaines personnes, le jeu en vaut la chandelle.

L'asthme instable

L'asthme instable est une forme plus rare de la maladie. Le patient souffre de crises aiguës qui commencent soudainement et celles-ci peuvent même se produire lorsque la maladie semble sous contrôle. D'autres ont des crises incontrôlables de façon quotidienne. Ces patients sont admis à l'hôpital à répétition et le risque de décès par l'asthme ne cesse alors d'augmenter. Les allergies semblent plus fréquentes chez ces patients et leurs crises aiguës se produisent souvent après qu'ils ont inhalé ou ingéré une substance à laquelle ils sont allergiques. Cette forme d'asthme est très pénible tant pour les patients que pour leurs proches et les facteurs psychologiques deviennent importants. On ignore cependant si c'est l'asthme qui entraîne les problèmes psychologiques ou l'inverse.

Le traitement de ces cas est très difficile et ces patients devraient être suivis par des spécialistes en médecine thoracique qui s'intéressent aux formes d'asthme plus sévères.

POINTS CLÉS

- Si vous avez déjà eu des problèmes d'allergies, il est possible que des tests soient nécessaires afin d'identifier les allergènes qui vous affectent.

- La désensibilisation peut être dangereuse pour les patients asthmatiques et ne devrait être effectuée qu'en milieu hospitalier.

- L'asthme nocturne est un signe que la maladie est mal contrôlée.

- Les personnes asthmatiques qui ont une sensibilité à l'aspirine devraient éviter tous les médicaments qui contiennent cette substance. En cas de doute, consultez votre médecin ou votre pharmacien.

- Les patients avec un asthme instable devraient être suivis par des spécialistes en médecine thoracique qui s'intéressent aux formes d'asthme plus sévères.

L'asthme professionnel

L'exposition en milieu de travail

L'asthme qui se développe à la suite d'une exposition à une ou des substance(s) allergène(s) en milieu de travail est appelé « asthme professionnel ». Cette exposition peut être l'élément inducteur de l'asthme (ou agent causal), auquel cas le patient devient tellement sensible à la substance que chaque exposition subséquente entraînera une réaction.

Mais la substance peut aussi être un agent sensibilisant, qui peut provoquer chez des patients déjà asthmatiques des crises qui ne se produisaient pas nécessairement, à l'origine, à la suite d'une exposition à cet agent.

Les causes

Il y a plus de 100 agents connus pouvant causer l'asthme professionnel. Certains de ces agents sont plus rares, mais les autres sont présents dans des domaines professionnels familiers. On retrouve parmi eux les isocyanates (la substance ajoutée à la peinture en aérosol utilisée par les manufacturiers automobiles

Causes fréquentes de l'asthme professionnel

Les causes les plus fréquentes de l'asthme professionnel sont présentées dans ce tableau de même que les occupations dans lesquelles ces substances sont couramment utilisées.

Causes/agents	Occupations
Isocyanates	Travailleurs utilisant de la peinture, du vernis et certains plastiques
Colophane	Soudeurs
Urine des animaux	Techniciens de laboratoires, éleveurs d'animaux
Résines d'époxy	Métiers où l'on utilise des vernis et adhésifs
Farine	Boulangerie/restauration/ traiteurs
Sels de chrome	Tannage (cuir), chromage électrolytique
Enzymes	Industrie des détergents, industrie alimentaire/ pharmaceutique
Poussières de bois	Meuniers, menuisiers, charpentiers
Nickel	Chromage électrolytique
Teintures	Industrie de la teinture
Antibiotiques	Industrie pharmaceutique
Acariens de stockage	Agriculteurs, fermiers

pour la rendre plus résistante), la résine époxy et la farine (« asthme du boulanger »).

Vous trouverez à la page précédente une liste des agents les plus fréquents pouvant causer l'asthme professionnel ainsi que les métiers auxquels ils sont généralement associés.

Fréquence

On estime que 10 à 15 % des nouveaux cas d'asthme chez les adultes sont liés à des causes professionnelles, mais il est possible que le nombre réel soit plus élevé. Étant donné que les patients, les employeurs et les médecins ignorent souvent que des facteurs liés au milieu professionnel puissent jouer, plusieurs cas ne sont pas diagnostiqués, ce qui peut causer de graves problèmes à certaines personnes, puisque l'exposition continue à certaines substances peut entraîner des changements irréversibles des voies respiratoires.

Le diagnostic

On trouve souvent le premier indice dans l'historique du patient. S'il y a une amélioration de vos symptômes les week-ends ou lorsque vous vous éloignez de votre lieu de travail pendant de longues périodes, comme les vacances, on peut soupçonner qu'un agent lié à votre occupation professionnelle influe sur votre asthme. Toutes les personnes avec un tel historique ne sont cependant pas affectées par un asthme professionnel; de la même façon, certaines personnes qui n'ont pas le même historique peuvent très bien recevoir un diagnostic d'asthme professionnel. Mais dans tous les cas, un historique du genre devrait inciter à consulter un spécialiste en médecine thoracique pour réaliser des tests plus poussés.

Après avoir été dirigé à une clinique thoracique ou à un hôpital, vous rencontrerez un spécialiste qui vous demandera de mesurer votre débit de pointe régulièrement, peut-être même toutes les deux heures, tant au travail qu'à la maison, afin de voir s'il est possible d'identifier des schémas qui confirmeraient le diagnostic.

Histoire de cas : Allergie à la peinture

Brian a 32 ans et il travaille depuis 10 ans dans l'industrie automobile, après un séjour dans l'armée où il a appris son métier. Au cours des quatre premières années, il a occupé différents postes dans l'usine, mais il a été transféré au département de la peinture à l'âge de 26 ans. Même s'il fumait de 10 à 15 cigarettes par jour à cette époque, le seul problème de santé qu'il avait eu jusqu'alors était une crise occasionnelle de bronchite hivernale.

Durant l'hiver de 1990, il a été affecté par ce qu'il croyait être une autre crise de bronchite; il avait une toux et un sifflement, mais cette fois, les symptômes ont persisté et ont commencé à le réveiller en pleine nuit. Il est allé voir son médecin traitant, qui lui a encore une fois prescrit des antibiotiques et qui lui a dit qu'il devait cesser de fumer. Le traitement est resté sans effet et son sifflement était maintenant perceptible au moindre effort. Le médecin a pensé qu'il pouvait être asthmatique et il lui a prescrit un traitement qui a eu quelque effet peu avant que Brian ne parte en vacances pour les Pâques de 1991.

Durant ce voyage, Brian a commencé à se sentir beaucoup mieux et il a même cessé d'utiliser ses inhalateurs, mais dès son retour au travail, son asthme est revenu en force. Le médecin a trouvé significatif que l'asthme de son patient se soit amélioré alors qu'il était loin de son travail et il l'a dirigé vers une clinique thoracique où l'on a observé que les résultats de la mesure du débit de pointe formaient le schéma caractéristique de l'asthme professionnel. Heureusement, la compagnie où travaillait Brian a pu lui fournir un capot de protection qui s'est révéler très efficace. Depuis, son asthme est beaucoup plus facile à contrôler et il a pu garder un emploi bien rémunéré pour lequel il est qualifié.

La confirmation du diagnostic

Occasionnellement, lorsque des doutes persistent quant à la possibilité d'un asthme professionnel, on vous mettra au « défi » d'affronter, sous une supervision attentive dans un laboratoire, la substance qui pourrait être en cause. Si votre état empire lorsque vous êtes exposé à cette substance et qu'il reste inchangé lorsque vous êtes exposé – un autre jour – à une substance différente qui ne vous pose généralement aucun problème, le diagnostic sera le plus souvent confirmé. C'est un procédé qui requiert beaucoup de temps et qui pourrait vous obliger à manquer une semaine de travail et à passer des tests respiratoires après l'exposition à diverses substances dans un laboratoire conçu à cet effet.

L'avenir du patient

Certaines personnes affectées par un asthme professionnel n'ont d'autre choix que de quitter leur emploi, le plus souvent parce que l'exposition continue à l'allergène qui en est la cause rend le contrôle de l'asthme trop difficile. Les directeurs d'usines se montrent souvent peu enclins à améliorer les conditions de travail. Certains patients sont transférés à un autre poste au sein de la même compagnie où ils ne sont plus exposés à l'agent mis en cause. Plusieurs patients continuent cependant à travailler dans les mêmes conditions, ce qui peut être acceptable dans les cas où la médication permet un bon contrôle de l'asthme.

POINTS CLÉS

- Une amélioration des symptômes de l'asthme durant les week-ends et les vacances indique qu'il peut s'agir d'un asthme professionnel.

- On peut trouver des indices en ce sens dans l'historique médical, mais le diagnostic doit être confirmé par des tests réalisés en laboratoire.

Thérapies complémentaires

Essais cliniques

Les thérapies alternatives ou complémentaires pour le traitement de l'asthme sont très populaires. Cela est dû au fait que l'on s'inquiète des effets secondaires des médicaments qui sont à la base du traitement conventionnel, et plusieurs croient aussi que les « substances naturelles » sont meilleures que les médicaments.

Alors que l'efficacité de presque tous les traitements conventionnels pour l'asthme a été démontrée par des essais cliniques en bonne et due forme, les approches complémentaires ou naturelles ont rarement fait l'objet d'évaluations. Certaines de ces thérapies ont récemment été mises à l'étude, mais les résultats sont variables. C'est la raison pour laquelle plusieurs médecins dédaignent ces formes de traitement. Mais les défenseurs des méthodes naturelles relatent souvent des anecdotes évoquant les bénéfices tirés de leurs traitements et ils affirment que la constance de leurs succès au fil des ans atteste de l'efficacité de leurs méthodes. Cela a eu pour effet de polariser les tenants de la médecine conventionnelle, d'une part, et, les adeptes des méthodes naturelles, d'autre part, qui semblent convaincus que les traitements conventionnels confinent à l'empoisonnement ! Personnellement, je crois que la vérité se trouve quelque part entre ces deux extrêmes, mais je crois évidemment plus à l'efficacité des traitements conventionnels pour l'asthme.

L'approche « globale » du patient

Il est tout de même important de voir le patient comme un tout et pas seulement comme « un cas d'asthme ». On doit tenir compte de ses croyances, en discuter avec lui. Très souvent, lorsque les croyances sont très ancrées de part et d'autre, on peut faire des compromis et trouver un terrain d'entente. Il ne faut jamais perdre de vue que notre objectif est de contrôler l'asthme ou de le ramener au moins à un niveau qui semble acceptable pour le patient.

Les thérapies conventionnelles devraient former la base du traitement de fond pour l'asthme, mais certains patients veulent explorer les méthodes naturelles et complémentaires et ils peuvent certainement en tirer des bénéfices significatifs.

Il est important de préciser que les patients qui veulent faire l'essai des thérapies complémentaires ne devraient pas interrompre leur traitement conventionnel. On a observé une grave détérioration de l'état de certains patients ayant opté pour ce changement brutal.

Les résultats obtenus avec les méthodes complémentaires résultent-ils d'une croyance ayant un effet placebo, ou ces méthodes ont-elles vraiment un effet direct sur les voies respiratoires affectées par l'asthme ? Il y a là matière à débat. On devrait peut-être encourager la tenue de ce débat, mais en tenant compte de paramètres scientifiques qui ont été négligés par le passé.

Thérapies complémentaires

Acupuncture

Il ne fait aucun doute que l'acupuncture reçoit un meilleur accueil dans le milieu médical que les autres formes de thérapies complémentaires, particulièrement lorsqu'il est question de son efficacité pour soulager la douleur. C'est aussi l'une des rares approches alternatives qui ait fait l'objet d'études cliniques pour le traitement de l'asthme. L'acupuncture a apporté certains bénéfices aux patients atteints d'un asthme léger, mais son efficacité n'a pas été démontrée pour les cas d'asthme plus sévère.

La méthode Buteyko

Le recours à cette méthode a été proposé pour le traitement de l'asthme, mais elle sert essentiellement à maîtriser l'hyperventilation (respiration excessivement rapide) qui affecte certains patients asthmatiques. Cette méthode peut atténuer les symptômes de certains patients, mais elle ne traite pas l'asthme en profondeur.

L'homéopathie

On prétend que certains remèdes homéopathiques arrivent à traiter l'asthme chronique. Cependant, les homéopathes les plus stricts me disent que leur traitement ne sera efficace que si le patient abandonne sa médication conventionnelle – mesure que je n'approuve pas.

L'hypnose

Certains patients affirment que l'hypnose les a aidés, particulièrement dans la gestion des crises aiguës ou de l'aggravation de leur asthme. Ceux qui sont convaincus

Thérapies complémentaires (suite)

de l'efficacité de cette méthode peuvent sûrement en tirer certains bénéfices, mais comme pour l'homéopathie, des essais cliniques en bonne et due forme permettraient de mieux juger les résultats obtenus avec cette méthode. Or, ces essais cliniques n'ont toujours pas été effectués.

La phytothérapie

Les phytothérapeutes se préoccupent souvent plus des symptômes que de la maladie elle-même. Si la toux est l'un des symptômes importants dans un cas d'asthme particulier, le phytothérapeute fera des essais pour diminuer l'expectoration, tout en suggérant des modifications sur le plan du régime alimentaire afin de contrôler l'asthme.

La spéléothérapie

J'évoque cette méthode pour établir un point plutôt que pour la suggérer aux patients asthmatiques occidentaux.

La spéléothérapie implique que le patient doive passer de longues périodes sous terre, dans des grottes ou des cavernes ! Cette méthode semble efficace, mais c'est probablement dû au fait que le patient ne se trouve plus exposé aux acariens de la poussière et autres allergènes. Cette méthode me rappelle la « découverte » que le fait de passer du temps en haute altitude aide les personnes avec un asthme sévère. Encore une fois, cela est imputable au fait que le patient n'est plus exposé aux acariens de la poussière.

Le contrôle de l'environnement, qui requiert que le patient ne soit plus exposé aux allergènes, peut être efficace. Le problème est de trouver un cadre dans lequel il soit possible de vivre !

POINTS CLÉS

■ Certaines thérapies complémentaires semblent soulager certains patients. On ne sait cependant pas si cette efficacité résulte d'une croyance ayant un effet placebo ou si ces méthodes agissent vraiment sur les voies respiratoires affectées par l'asthme.

■ À l'exception de l'acupuncture, les méthodes complémentaires n'ont pas fait l'objet d'études cliniques.

Les perspectives d'avenir

Qu'est-ce que l'avenir réserve aux personnes asthmatiques ? Premièrement, il ne fait aucun doute que l'asthme ne disparaîtra pas. C'est une maladie très fréquente et il y a peu de chances pour que des modifications se produisent sur le plan épidémiologique dans un avenir proche.

Cette vision peut sembler pessimiste, mais il y a tout de même une lumière au bout du tunnel, qui permettra aux patients asthmatiques de garder espoir.

La prévention

Il est fort probable que nous parviendrons à mieux contrôler l'exposition aux allergènes, ce qui aura un effet crucial sur les cinq premières années de la vie, période au cours de laquelle se développe notamment la sensibilité aux acariens de la poussière. Mais ce contrôle accru requerra beaucoup d'efforts de la part des patients et des parents ! Le rôle des médecins consiste à établir un ensemble de mesures qui seront à la fois simples et peu onéreuses. Un idéal qu'ils ne sont pas encore parvenus à atteindre.

D'autres mesures préventives doivent être prises, notamment la diminution du tabagisme chez les parents, puisque la fumée de cigarette joue un rôle très important dans le développement de l'asthme chez les enfants. Il ne sera pas facile d'atteindre cet objectif. Par ailleurs, on se préoccupe de plus en plus de diminuer les possibilités d'exposition aux allergènes en milieu professionnel, et l'amélioration de la qualité de l'air en général pourrait contribuer à diminuer la fréquence des crises d'asthme.

Les traitements médicaux

La découverte d'un médicament pour traiter une maladie, quelle qu'elle soit, est un processus long et coûteux, qui nécessite des études rigoureuses effectuées aussi bien sur des animaux que sur des humains. Ces études doivent répondre aux normes

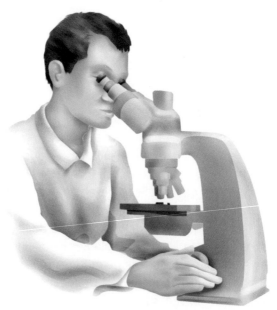

des agences gouvernementales et il faut prouver que le médicament est à la fois sûr et efficace. Ce n'est qu'au bout de ce processus qu'un permis d'exploitation sera octroyée par les organismes faisant autorité en ce domaine.

Quels sont les médicaments présentement à l'étude qui pourraient aider les patients asthmatiques dans un avenir proche ?

Les nouveaux médicaments

Fait intéressant, certains des nouveaux médicaments à l'étude sont des médicaments sous forme de comprimés, comme c'est le cas pour les antagonistes des récepteurs des leucotriènes (voir page 59). Il est vrai que les inhalateurs, qui sont parfois difficiles à manipuler et qui sont rarement utilisés de façon aussi régulière que ne le croient les médecins, sont bien peu commodes.

Ces nouveaux médicaments – certains pourront être inhalés, d'autres devront être pris par voie orale ou sous-cutanée – sont présentement à l'étude et on tente encore de déterminer s'ils pourront bénéficier à l'ensemble des patients asthmatiques ou seulement à certains groupes de patients avec des formes d'asthme particulières. Ils contribueront certainement à faciliter le contrôle de l'asthme et ils entraîneront sans doute moins d'effets secondaires.

Il est fort probable que des traitements très spécifiques destinés à des groupes particuliers de patients asthmatiques seront éventuellement développés. Plusieurs facteurs permettront de déterminer si ces médicaments seront pris en inhalation ou par voie orale, la préférence du patient n'étant pas le moindre d'entre eux !

D'autres médicaments visant notamment à contrer les effets de certains agents chimiques responsables d'inflammations respiratoires sont présentement à l'étude (les anti-interleukines, par exemple). Encore une fois, les premiers essais ont eu des résultats prometteurs.

La thérapie génique

Même si de grands pas ont été franchis dans l'étude des déterminants génétiques de l'asthme – particulièrement dans le domaine des allergies –, la thérapie génique est toujours hors de portée.

Cette thérapie aurait sans aucun doute un effet déterminant dans le traitement de l'asthme, mais il y a encore plusieurs obstacles d'ordre éthique et scientifique à franchir.

Conclusion

Je me montre optimiste quant à l'avenir des patients asthmatiques. Le développement de médicaments qui auront moins d'effets secondaires et, mieux encore, l'amélioration des mesures pour prévenir l'asthme ou les crises d'asthme permettront de diminuer la souffrance et l'inconfort des patients affectés par cette maladie.

POINTS CLÉS

- De nouveaux médicaments présentement à l'étude pourraient faciliter le contrôle de l'asthme, et ce, avec moins d'effets secondaires.

- L'asthme ne sera pas « éradiqué ». Cependant, des mesures de prévention efficaces permettront un meilleur contrôle de cette maladie dans les sociétés occidentales.

Questions
et réponses

L'asthme disparaîtra-t-il éventuellement?
C'est la question la plus fréquemment posée par
les parents d'un enfant asthmatique. L'asthme semble
disparaître chez la plupart des enfants d'âge élémen-
taire, le plus souvent lorsqu'ils arrivent à l'adolescence.
Cette maladie qui est plus fréquente chez les garçons
devient donc plus fréquente chez les femmes adultes.
Cela ne signifie pas pour autant que l'asthme a disparu
pour de bon puisqu'un certain nombre de patients
auront une rechute plus tard dans leur vie; chez la
femme, cela se produit souvent lorsqu'elle arrive à
l'âge de la ménopause. Il arrive que les symptômes
d'un asthme qui revient après plusieurs années soient
différents de ceux qui avaient pu être observés dans
l'enfance. Le sifflement est souvent plus présent chez
les enfants, et le souffle court ainsi que l'oppression
thoracique sont plus fréquents à l'âge adulte.

La plupart des personnes qui développent un
asthme à l'âge adulte resteront affectées à des degrés

divers pour le reste de leur vie. On ignore quelle proportion des personnes ayant développé un asthme à l'âge adulte guérissent éventuellement, mais on estime que ce nombre est d'environ 20 %.

L'asthme ou son traitement peuvent-ils endommager les poumons ?

Les patients croient que « les poumons » sont distincts des « voies » alors que les voies font partie des poumons.

L'inquiétude quant aux dommages possibles, toutefois, est réelle. Un asthme non traité peut entraîner un rétrécissement irréversible des voies respiratoires, et cela parce que l'inflammation ne serait alors pas contrôlée. De la même manière, les patients qui fument et qui n'utilisent pas leur inhalateur visant à prévenir les symptômes de façon régulière risquent de devoir composer avec des dommages pulmonaires graves et irréversibles.

Le traitement de l'asthme n'endommage pas les poumons, mais les comprimés à base de stéroïdes peuvent avoir d'autres effets secondaires (voir page 53).

Tout bien considéré, les risques sont plus grands pour les personnes qui ne traiteraient pas leur asthme que pour celles qui contrôlent leur maladie.

L'effet des médicaments diminuera-t-il ?

L'effet des médicaments pour l'asthme ne diminue pas avec le temps. Si votre inhalateur visant à soulager les symptômes vous semble moins efficace, il y a plus de chances que cela soit dû à une aggravation de votre asthme plutôt qu'à une diminution des effets du médicament. Il est possible qu'on vous ait prescrit une dose trop faible ou qu'une quantité moindre de médicament soit absorbée dans les voies inférieures à cause du rétrécissement des voies intrinsèque à une aggravation de l'asthme. Si le traitement vous semble moins efficace, vous devez absolument aller voir votre médecin pour que votre état soit réévalué.

L'asthme est-il contagieux ?

Non, l'asthme n'est pas contagieux. Il ne s'agit pas d'une maladie infectieuse et on ne peut donc pas l'attraper d'une autre personne.

Les nébuliseurs sont-ils dangereux ?

Le nébuliseur est un moyen puissant pour envoyer les médicaments vers les poumons et il n'est utilisé que pour les patients avec un asthme sévère. Il y a néanmoins des patients qui sont traités avec le nébuliseur alors que les autres formes de traitement n'ont pas vraiment été explorées. Lorsqu'il est utilisé dans les cas de crises aiguës, le nébuliseur peut sauver des vies et il contribue à diminuer le nombre d'admissions à l'hôpital.

Les risques apparaissent lorsque le patient se fie trop au « tout-puissant » nébuliseur. Au lieu de recourir à une aide médicale lorsque le besoin s'en fait sentir, le patient s'auto-administre des doses répétées avec le nébuliseur. Cela peut mettre sa vie en danger ou mener à des crises très sévères. Ce genre d'accident aurait pu être évité si le patient s'était présenté à l'urgence d'un hôpital ou s'il avait contacté son médecin.

Lorsqu'un patient doit être traité avec un nébuliseur de façon régulière, c'est que son asthme est considéré comme grave. À moins qu'un nouveau traitement n'apparaisse, plusieurs ne pourront jamais interrompre

leur traitement par nébuliseur. Il arrive, occasionnellement, que des changements dans la vie du patient –
tel un déménagement pour aller travailler dans une
autre région ou un changement d'occupation –
entraînent une amélioration notable de leur état,
ce qui lui permet de cesser d'utiliser le nébuliseur.

Encore une fois, comme pour les autres formes
de thérapies en inhalation, le recours au nébuliseur,
lorsque le traitement est bien supervisé, ne signifie pas
pour autant que vous aurez besoin de doses toujours
plus élevées de médicaments avec le passage des
années. Si cela semble être le cas pour vous, c'est
probablement parce que votre asthme s'est aggravé.

*Je songe à devenir enceinte. Que dois-je faire
avec mes médicaments pour la prévention et pour
le soulagement ?*

Les risques de faire une crise d'asthme sont beaucoup
plus grands que les risques liés aux médicaments. Les
thérapies en inhalation sont sans danger pour la mère
et pour l'enfant lors d'une grossesse. Un traitement par
comprimés à base de stéroïdes au cours des trois
premiers mois de la grossesse augmente légèrement
les risques pour que votre enfant naisse avec un bec-de-
lièvre ou avec une fente palatine. Ce qui est une raison
supplémentaire de maintenir le traitement en inhalation,
qui permet d'éviter le recours aux corticostéroïdes.

Les mêmes principes peuvent être appliqués à
l'allaitement, mais, cette fois, les corticostéroïdes seraient
transmis par le lait, comme c'est le cas avec la théophylline. Il serait probablement plus judicieux d'éviter le
recours à la théophylline par voie orale (Nuelin, Uniphylline :
voir page 59) pour éviter le léger risque de voir le bébé
affecté par des effets secondaires tels que la nausée.

Index

Vos pages

Nous avons inclus les pages ci-après en vue de vous aider à gérer votre maladie et son traitement.

Avant de fixer un rendez-vous avec votre médecin de famille, il serait utile de dresser une courte liste des questions que vous voulez poser et des choses que vous ne comprenez pas afin de ne rien oublier.

Certaines des sections peuvent ne pas s'appliquer à votre cas.

Soins de santé : personnes-ressources

Nom :

Titre :

Travail :

Tél. :

Nom :

Titre :

Travail :

Tél. :

Nom :

Titre :

Travail :

Tél. :

Nom :

Titre :

Travail :

Tél. :

Antécédents importants – maladies/
opérations/recherches/traitements

Événement	Mois	Année	Âge (alors)

Rendez-vous pour soins de santé

Nom :

Endroit :

Date :

Heure :

Tél. :

Nom :

Endroit :

Date :

Heure :

Tél. :

Nom :

Endroit :

Date :

Heure :

Tél. :

Nom :

Endroit :

Date :

Heure :

Tél. :

Rendez-vous pour soins de santé

Nom :

Endroit :

Date :

Heure :

Tél. :

Nom :

Endroit :

Date :

Heure :

Tél. :

Nom :

Endroit :

Date :

Heure :

Tél. :

Nom :

Endroit :

Date :

Heure :

Tél. :

Médicament(s) actuellement prescrit(s) par votre médecin

Nom du médicament :

Raison :

Dose et fréquence :

Début de l'ordonnance :

Fin de l'ordonnance :

Nom du médicament :

Raison :

Dose et fréquence :

Début de l'ordonnance :

Fin de l'ordonnance :

Nom du médicament :

Raison :

Dose et fréquence :

Début de l'ordonnance :

Fin de l'ordonnance :

Nom du médicament :

Raison :

Dose et fréquence :

Début de l'ordonnance :

Fin de l'ordonnance :

Autres médicaments/suppléments que vous prenez sans une ordonnance de votre médecin

Nom du médicament/traitement :

Raison :

Dose et fréquence :

Début de la prise :

Fin de la prise :

Nom du médicament/traitement :

Raison :

Dose et fréquence :

Début de la prise :

Fin de la prise :

Nom du médicament/traitement :

Raison :

Dose et fréquence :

Début de la prise :

Fin de la prise :

Nom du médicament/traitement :

Raison :

Dose et fréquence :

Début de la prise :

Fin de la prise :

Questions à poser lors des prochains rendez-vous
(Note : N'oubliez pas que le temps que peut vous consacrer votre médecin est limité. Il est donc préférable d'éviter les longues listes de questions.)

Questions à poser lors des prochains rendez-vous
(Note : N'oubliez pas que le temps que peut vous consacrer votre médecin est limité. Il est donc préférable d'éviter les longues listes de questions.)

Notes

Notes

Centre universitaire
de santé McGill

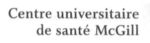

McGill University
Health Centre

Centre de ressources McConnell
McConnell Resource Centre

Local B RC.0078, Site Glen
1001 Boul. Décarie, Montréal QC H4A 3J1

Room B RC.0078, Glen Site
1001 Decarie Blvd, Montreal QC H4A 3J1

514-934-1934, #22054
crp-prc@muhc.mcgill.ca